GW00383877

LES SIX COMPAGNONS

de la Croix-Rousse

Hachette Livre, 1961, 1988, 2000, 2010, 2014 pour la présente édition.
Le texte de la présente édition a été revu par l'éditeur.

Tous droits de traduction, de reproduction
et d'adaptation réservés pour tous pays.

Hachette Livre, 58, rue Jean Bleuzen, 92178 Vanves Cedex.

Paul-Jacques Bonzon

LES SIX COMPAGNONS
de la Croix-Rousse

Illustrations
Magalie Foutrier

Tidou

Malin, perspicace, sensible…
Tidou, c'est le héros ! Inséparable
de son chien, Kafi, il est aussi
particulièrement proche de Mady,
avec qui il s'entend à merveille
et qu'il comprend à demi-mot…

Kafi

De l'avis général, « le plus beau des chiens » !…
Meilleur ami de Tidou, mascotte de la bande,
c'est surtout un chien policier au flair infaillible.

Gnafron

À cause de sa taille, les autres
le traitent de « petit »...
N’empêche qu’il est aussi
le plus décidé ! Avec
ses idées géniales
et sa tignasse hérissée,
il ne manque jamais
de faire rire ses copains
des Six Compagnons !

Le Tondu

Jamais sans son bonnet ! Petit, une maladie
l’a rendu chauve et il a honte de son crâne
qui brille comme une boule de billard.
Sa timidité le rend un peu froussard,
pourtant, avec ses longues jambes,
il est le plus rapide de la bande.

Bistèque

De son père, commis-boucher, il a hérité de vrais talents de cuisinier… et d'une certaine tendance à rouspéter ! C'est un passionné d'aviation, qui rêve de grands voyages : impossible de le faire tenir en place !

Corget

Comme Tidou, il adore les chiens. Parfois réservé, il est surtout un ami sincère et fidèle. D'ailleurs, quand il faut passer à l'action, c'est lui le plus courageux.

Mady

La seule fille de la bande.
Les garçons feraient tout pour elle !
Gentille, simple et très franche,
elle fourmille d'idées ingénieuses.
Sans son aide, ses amis des Six Compagnons
auraient parfois du mal à se tirer d'affaire !

À tous les enfants qui ont eu le bonheur
d'aimer un chien...

chapitre 1

Kafi

Ce jour-là, je ne l'oublierai jamais.

C'est la fin de septembre. On a encore l'impression du plein été, avec sa grande lumière, ses cigales qui frappent des cymbales dans les oliviers. Au début de l'après-midi, nous sommes partis, Kafi et moi, grappiller dans les vignes les raisins oubliés par les ciseaux des vendangeurs.

Kafi est mon meilleur ami. Nous avons grandi ensemble, moi sur deux pieds, lui sur quatre pattes, car Kafi est un chien, le plus beau des chiens, le plus intelligent... pas seulement parce qu'il m'appartient, mais parce que c'est vrai. Son poil a le luisant de la soie ; quand on caresse son dos, d'un beau noir

de suie, on dirait du velours. L'extrémité de ses pattes est du roux le plus vif comme si, un soir d'été, il s'était jeté dans le grand brasier d'un feu de Saint-Jean. Quand il se dresse pour poser ses pattes de devant sur mes épaules, il me dépasse de toute la tête. Après ses courses folles, dans la campagne, il revient toujours se coucher à mes pieds, haletant, et tire une langue rose aussi longue qu'une feuille de maïs.

Il s'appelle Kafi, du nom d'un Marocain qui me l'a donné, il y a six ans, pas plus gros qu'une pelote de laine. Ce vieux Marocain, un marchand ambulant, est passé un soir, à Reillanette, chargé de tapis et d'objets de cuir et accompagné d'un chien-loup, ou plutôt d'une chienne à qui il confiait la garde de sa marchandise. L'homme a demandé à coucher dans une grange, près de chez nous. Dans la nuit, la chienne a eu deux petits dont l'un est mort en naissant. Le vieux Marocain ne pouvait emmener l'autre, mais il aimait les bêtes et ne voulait pas le tuer. Il nous l'a offert, ne demandant rien en échange, proposant même son plus beau tapis si nous gardions le petit animal. Émue, ma mère qui sait combien j'aime les bêtes, a accepté le chien pour moi... et refusé le tapis pour elle. Alors

le vieux Marocain est reparti soulagé, disant que nous pourrions appeler le petit chien Kafi, comme lui, parce que, dans son pays, on donne volontiers aux animaux qu'on aime bien le nom de leur ancien maître.

Ainsi, Kafi est resté chez nous; il a été élevé au biberon, comme un enfant, et nous sommes devenus inséparables.

Aujourd'hui, donc, nous partons dans les vignes. Plus vif que moi, Kafi me devance et happe les plus beaux raisins à grands coups claquants de mâchoires. Mais je ne suis pas aussi joyeux que d'habitude. Je sais qu'un événement se prépare et que, peut-être, tout à l'heure, quand papa rentrera...

Au lieu de suivre toutes les rangées de vigne jusqu'à la dernière, je siffle Kafi et nous revenons sur nos pas, vers le village; je m'assieds sur le talus qui borde la rivière. Kafi se couche à mes pieds, me jetant un regard interrogateur qui semble dire : « Qu'as-tu, Tidou?... Tu es si pressé de rentrer? Tu vois bien que le soleil n'est pas encore tombé derrière la Terre!... »

Non, je ne suis pas pressé; pourtant, une force irrésistible m'attire vers Reillanette où, tout à l'heure, mon père va descendre du bus. Je prends dans mes mains la tête de

Kafi et le regarde dans les yeux, pour une confidence.

— Tu le sais, Kafi, qu'on attend papa. Tu n'as pas compris pourquoi il s'est levé si tôt ce matin, pourquoi il a mis une cravate ? Il va rentrer de Lyon. Lyon ! Ce nom-là ne te dit rien, c'est une grande ville au bord du Rhône, comme Avignon, une ville où on ira peut-être vivre bientôt...

Kafi m'écoute, les yeux brillants, et on dirait qu'il comprend. Pour me montrer son amitié, il me donne, sur la joue, de petits coups de sa truffe noire et froide.

— Bien sûr, Kafi, si on quitte Reillanette, on n'aura plus toute la campagne à nous, tu n'entendras plus les cigales, tu ne sauteras plus après les papillons, mais je te sortirai souvent ; on ira se promener au bord du Rhône.

Bien avant l'arrivée du car, je vais m'asseoir sur le banc de pierre de l'unique place du village, une place si petite que, pour tourner, le bus doit s'y prendre à deux fois. Kafi devine mon émotion ; il me regarde la tête penchée, comme lorsque lui-même est inquiet. Je le caresse, chiffonnant ses oreilles pointues tout en jetant un coup d'œil vers l'horloge du clocher.

À mesure que le temps passe, mon impatience devient presque de l'angoisse, sans que je sache pourquoi.

Depuis longtemps mon père veut quitter le village. Oh ! non pas parce qu'il ne s'y plaît plus ! Mais la région est pauvre, la vie de plus en plus difficile. Le petit atelier de tissage, le seul existant dans la région et où travaille mon père, menace de fermer ses portes. Si, encore, comme beaucoup de gens de Reillanette, nous possédions un peu de vigne ou quelques rangs d'oliviers... Mais nous n'avons rien. Alors, un jour, papa a écrit à un ancien ami, installé à Lyon, en lui demandant « si, là-bas, tu pouvais me trouver du travail et un logement... » Pour le travail, c'était sans doute facile ; mon père est un bon « gareur », comme on nomme les ouvriers chargés de réparer les machines à tisser... mais le logement ?

Enfin, l'ami de mon père a fini par dénicher un appartement dans une maison ancienne du quartier de la Croix-Rousse, le quartier des canuts ou, si vous voulez, des tisserands.

« Malheureusement, ce logement est plutôt modeste, a écrit le Lyonnais. *Avant de le louer, je préférerais que tu le voies. »*

C'est pour se rendre à Lyon que mon père est parti si tôt ce matin.

Il fait presque nuit quand on entend ronfler le car sur la route d'Avignon. Kafi, le premier, a dressé l'oreille. Il se précipite dehors, mais au lieu d'accueillir mon père par des aboiements joyeux, il se contente de lui lécher la main. Moi aussi, je remarque l'air soucieux de papa. Je demande :

— Alors, ce logement, tu l'as vu?... Il est comment?

— Oui, je l'ai vu... je l'ai vu.

Il n'ajoute rien. Je n'ose pas le questionner davantage ; je vois bien qu'il n'a pas envie de parler. Nous rentrons tous les trois en silence à la maison. Maman, qui nous guette, avec mon petit frère Géo, qui n'a que quatre ans, s'avance et, comme moi, demande :

— Alors, ce logement?

Mon père a un petit haussement d'épaules qui en dit long.

— Oui, je l'ai vu...

Il se laisse tomber sur une chaise, devant la table, où le couvert attend. Maman le regarde, anxieuse, les mains jointes sur son tablier.

— Oui, reprend mon père, je l'ai vu... La maison est vieille ; elle doit même être

abattue, dans quelque temps, quand on rebâtira le quartier... c'est pour cela que le propriétaire ne fait plus de réparations... trois petites pièces, au cinquième, presque sous les toits. C'est tout ce que mon ami a trouvé... et encore, il paraît que c'est une chance ; une chance à prendre ou à laisser. On ne m'a pas donné le temps de réfléchir... c'est fait.

Ma mère soupire. Trois petites pièces alors que nous en avons quatre grandes à Reillanette, et au cinquième, nous qui vivons depuis toujours devant un jardin et toute la campagne !

— Bien sûr, fait-elle, ce n'est pas le rêve, mais il faut bien que nous partions. Plus tard, nous chercherons quelque chose de mieux. Tu gagneras plus d'argent ; nous mettrons Géo à l'école maternelle, pendant ce temps je ferai quelques heures de ménage ; dans une ville comme Lyon, ça doit se trouver, les ménages. Dès que nous serons plus à l'aise, nous verrons... tu as bien fait.

Mon père se force à sourire pour remercier maman d'accepter si courageusement d'être mal logée dans une maison sale, elle qui tient si bien la nôtre, mais, presque aussitôt, ses sourcils se froncent de nouveau.

— Ce n'est pas tout, ajoute-t-il, il y a autre chose qui m'ennuie... qui m'ennuie beaucoup.

— Quoi ?

Mon père me regarde, puis regarde le chien.

— Nous ne pourrons pas emmener Kafi.

Sur le coup, je crois avoir mal compris puis, brusquement, mon cœur se serre dans ma poitrine, si fort qu'il me fait atrocement mal.

— Oh ! Kafi !... il ne pourr...

Je ne peux pas achever ; les mots s'arrêtent dans ma gorge. Je me mets à trembler comme une branche d'amandier dans le mistral. Je regarde maman, la suppliant des yeux de parler à ma place.

— Oui, fait-elle, pourquoi ? Je sais bien qu'un chien de la taille de Kafi tient la place d'une personne, mais Kafi fait partie de la famille, nous ne pouvons pas l'abandonner. Nous nous arrangerons.

En entendant son nom, Kafi s'est levé. Il vient frotter son museau contre la main de maman, comprenant, au ton de sa voix, qu'elle prend sa défense, qu'elle veut le protéger d'un danger inconnu.

— Je sais, déclare mon père, nous y sommes tous attachés, pourtant c'est impossible,

absolument impossible. Pas de chiens dans la maison, la gardienne a été catégorique, elle m'a même fait signer un papier.

En entendant maman prendre la défense de Kafi, j'avais repris espoir. À présent, un sanglot me secoue. Je me jette à terre, serrant mon chien par le cou. Il y a un lourd silence puis mon petit frère, lui aussi, se met à pleurer. Alors mon père se lève, pose la main sur mon épaule.

— Tu le vois, je n'y peux rien, Tidou ; je savais que tu aurais beaucoup de peine... Comment faire autrement ?

Je me redresse, indigné.

— Il ne fallait pas !...

Devant maman consternée, qui n'ose plus rien dire, mon père essaie de me raisonner.

— Écoute, Tidou : tu es grand, toi, tu peux comprendre...

Non, je ne peux pas comprendre. Kafi est mon ami, l'abandonner serait un crime. Pourtant, au fond de moi, je sens que je ne serai pas le plus fort. Nous allons partir et Kafi ne nous suivra pas. Je suis désespéré.

Quand, deux heures plus tard, je monte dans ma chambre, mon chagrin ne s'est pas apaisé et je sens qu'il ne s'en ira jamais. D'habitude, Kafi couche au pied de mon lit

sur un vieux paillasson recouvrant le carrelage rouge et il ne bouge plus jusqu'au lendemain, à mon réveil. Alors il se lève, pose sa tête sur le drap en poussant de petits grognements étouffés, attendant sa première caresse. Ce soir-là, au lieu d'ouvrir mon lit pour me glisser entre les draps, je m'étends tout habillé sur le tapis près de mon cher Kafi, pour ne pas le quitter et, passant mes bras autour de son cou, je murmure au creux de ses oreilles velues :

— Kafi, si on nous sépare, je te retrouverai...

chapitre 2

La grande ville

Nous quittons Reillanette les premiers jours d'octobre. Maman espérait que nous partirions plus tôt, pour que je ne manque pas la rentrée des classes, mais les précédents locataires de la Croix-Rousse viennent seulement de partir.

Depuis le jour où j'ai su que Kafi ne nous suivrait pas, mon chagrin ne m'a plus lâché. Ma peine est comme ces échardes qui s'enfoncent toujours plus profondément dans la chair et qu'on ne peut plus retirer. Je n'en veux pas à mon père ni à ma mère qui, je le vois bien, sont très ennuyés pour moi. Ma colère, je la reporte sur cette horrible gardienne d'où vient tout le mal, et que je

déteste avant de la connaître, sur cette ville de Lyon aussi qui, pourtant, au début, m'a fait faire de si beaux rêves.

Pour transporter nos meubles, mon père ne s'est pas adressé à une entreprise de déménagement d'Avignon, mais à un maçon du voisinage qui possède une camionnette et demande moins cher. Si la voiture n'est pas grande, notre mobilier, lui non plus, n'est pas encombrant. Nous n'aurons là-bas ni cave, ni grenier, ni jardin, et il a fallu se débarrasser de beaucoup de choses. J'ai été peiné en voyant disperser tous ces objets familiers, témoins de mon enfance, mais c'est peu de chose à côté de mon chagrin de perdre Kafi.

Pauvre Kafi ! Il a certainement compris qu'on ne l'emmènera pas. Les derniers jours, pendant que maman empile la vaisselle dans des caisses, il ne quitte pas ses talons. Il refuse même d'aller comme d'habitude chercher le journal à la maison de la presse, craignant sans doute de trouver la maison vide à son retour. Il a une façon si lamentable de pencher la tête en me regardant, que les larmes me montent aux yeux.

On a décidé qu'il resterait chez Aubanel, le boulanger. C'est moi qui lui ai trouvé cette

nouvelle famille. Frédéric, le petit Aubanel, qui va à l'école avec moi, aime les bêtes. Avec lui, Kafi ne manquera pas de caresses. C'est ma consolation ; mais j'espère surtout qu'aussitôt à Lyon maman trouvera un nouvel appartement, comme elle me l'a promis, et que nous pourrons alors le reprendre. Pourtant, je ne me fais pas vraiment d'illusions. Cela peut prendre des semaines, des mois.

Le jour du départ, un mistral fou balaie la vallée, courbant les cyprès, donnant au ciel cette belle couleur bleu lavande que j'aime tant. La camionnette arrive tôt le matin et le chargement commence sans attendre. Le maçon n'entend pas perdre plus d'une journée et veut rentrer le soir même.

À huit heures et demie, tout est prêt, la grande bâche tendue sur le mobilier. Mais, au dernier moment, le pauvre Kafi, qui n'a pas arrêté de me suivre dans mes allées et venues, a disparu. J'explore la maison, de la cave au grenier. Il n'est nulle part. Pour cacher sa peine, s'est-il blotti dans un coin, comme font les bêtes qui souffrent ?

— On ne peut tout de même pas perdre du temps pour un simple chien, fait remarquer le maçon.

Je suis désespéré de quitter Reillanette sans dire au revoir à mon chien. Je repars en courant dans la maison. Toujours rien !

— Tant pis pour ton chien, lance le chauffeur, excédé. En route !

Et il grimpe dans la voiture pour mettre le moteur en marche. Il s'est à peine laissé tomber sur le siège qu'un gémissement sort de sous la banquette. Profitant d'un moment d'inattention, Kafi s'est glissé là pour partir en cachette. On a beaucoup de mal à l'extirper de son refuge, plus mort que vif. Conscient d'avoir commis un acte défendu, il baisse la tête, s'attendant à une punition.

— Conduis-le à la boulangerie, ordonne vivement mon père, et qu'on l'y enferme pour qu'il n'ait pas la tentation de suivre la voiture.

Mon pauvre Kafi se laisse entraîner sans résistance... mais pas une seule fois ses yeux intelligents ne se lèvent vers moi. Frédéric l'enferme dans la « gloriette », la petite pièce obscure où on fait lever la pâte en hiver, après que je l'ai encore une fois serré très fort contre moi.

— Soigne-le bien, Frédéric !... Et quand il sera triste, parle-lui de moi !

Dehors, le maçon s'énerve. Je grimpe dans la cabine, sur les genoux de mon père, alors

que maman tient Géo. La voiture démarre. Pendant un long moment, personne n'ose dire un mot. Nous avons presque l'air de mauvais parents qui fuient en abandonnant un enfant...

On arrive à Lyon vers midi. Nous avons laissé le soleil loin derrière nous, du côté de Valence. En même temps que le mistral faiblit, le ciel s'est peu à peu couvert. Le chauffeur a mis en marche ses essuie-glaces; il pleut. C'est sous ce voile de pluie que m'apparaît la grande cité, grise et triste, si différente d'Avignon où je suis allé plusieurs fois. Je me penche en avant pour la découvrir, à travers l'éventail que dessine, sur la vitre, l'espace balayé par les essuie-glaces. Comme nous traversons un pont, mon père tend le doigt.

— Tu vois, Tidou, là-bas, c'est la Croix-Rousse.

La Croix-Rousse!... Le nom est joli. Je m'étais imaginé un quartier roussi de lumière et je n'aperçois qu'un entassement de maisons toutes pareilles, en forme de cubes, percées de fenêtres toutes pareilles elles aussi. Comme je suis loin de Reillanette!

Après avoir suivi de grandes avenues très animées, la camionnette s'engage brusquement

dans des rues très étroites. Nous attaquons la colline de la Croix-Rousse. La pente est si raide que le chauffeur doit, à deux reprises, changer de vitesse. Dans ce quartier embrouillé, compliqué, mon père ne se repère plus et le chauffeur, contraint à de fausses manœuvres, ne cesse de râler. Il faut demander son chemin. Enfin la camionnette s'arrête. Notre rue s'appelle « rue de la Petite-Lune », peut-être parce qu'elle est courbe comme un croissant de lune. Tout le long du chemin je n'ai cessé de penser à la gardienne, à ce que je vais lui dire, car je suis bien décidé à lui crier mon indignation. Quand elle apparaît, je reste muet. Elle n'est pas aussi laide que je me la suis représentée, mais son air glacé, sa voix surtout, me paralysent. En guise de bienvenue, elle déclare :

— Surtout, pas d'éraflures dans mes escaliers... et quand le déballage sera fini, faudra m'enlever les cartons devant l'immeuble !

Elle a dit « mes escaliers », comme si la maison lui appartenait, et elle a une façon qui me paraît curieuse de prononcer le mot « immeuble » en traînant sur « eu », ce qui est, je l'apprendrai bientôt, l'accent lyonnais.

Le chauffeur annonce qu'on va tout de suite « casser la croûte », dans le café le plus

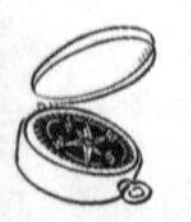

proche, pour revenir aussitôt commencer le déchargement.

Mais, plus que de manger, maman a hâte de voir notre nouveau logement. Pendant que mon père et le maçon vont commander le repas, elle demande la clé à la gardienne. Je veux l'accompagner avec Géo, pour me rendre compte si vraiment il n'est pas possible de trouver une place pour Kafi. Jamais de ma vie, je n'ai monté autant de marches. Au quatrième étage, mon petit frère refuse d'aller plus loin. Je le prends à califourchon sur mon dos et c'est ainsi que nous arrivons au dernier palier de cette immense bâtisse. Maman ne peut retenir un cri de déception :

— Comme c'est petit !... Encore plus petit que je l'imaginais !

Elle ose à peine entrer. La cuisine est minuscule, les deux autres pièces à peine plus grandes. Mon cœur se serre en pensant à Kafi. Non, vraiment, il n'y a pas de place pour lui dans cette maison. Pauvre Kafi ! Que fait-il à cette heure ? L'a-t-on fait sortir de la gloriette ?... Est-il sur la route, courant à perdre haleine pour essayer de nous rejoindre ?...

Dans cet appartement si étroit, on a l'impression d'étouffer ; je m'approche de la

fenêtre. Mais pas de ciel comme devant ma chambre à Reillanette, rien que des murs, des toits aux tuiles ternes. Je me penche pour regarder en bas dans la rue. Et tout à coup mon cœur se met à battre à grands coups. Sur le trottoir d'en face, un passant, caché par son parapluie, tient en laisse un gros chien. Même dans ce quartier il existe donc des gens heureux qui peuvent posséder un chien et dont la gardienne est moins féroce que la nôtre ?... Mon indignation me reprend avec toute sa force. Je me penche plus avant pour suivre, jusqu'au bout, le passant et son compagnon.

— Oh ! Tidou, s'écrie maman, me croyant prêt à basculer dans le vide.

Je me retourne et me raidis pour ne pas laisser voir mes larmes, car maman, elle aussi, a les yeux humides, et je ne veux pas accroître sa peine, mais ma résolution est prise. Malgré l'appartement trop petit, malgré la gardienne, Kafi viendra...

chapitre 3

L'accident

Trois jours plus tard, je fais mes débuts d'élève citadin. La veille, je suis allé avec maman m'inscrire dans ce collège de la Croix-Rousse, un collège qui m'a tout de suite paru laid et triste, avec ses murs trop hauts, sa cour trop petite sans arbres et sans vue. Mais je vais enfin avoir de nouveaux amis !

Ce matin-là, je quitte de bonne heure la rue de la Petite-Lune de peur d'être en retard. Quand j'arrive, le portail est encore fermé. Bientôt les gamins s'approchent par bandes, je pénètre avec eux dans la cour qui se transforme, en quelques instants, en une grouillante fourmilière. Je me sens subitement

affreusement dépaysé. Oh ! si j'avais Kafi, avec moi, comme à Reillanette ! Là-bas, mon brave chien m'accompagnait souvent jusque sous le préau pour recevoir les caresses de tout le monde.

Vraiment, ces visages inconnus sont trop nombreux. Personne ne songe à s'occuper de moi, alors qu'à Reillanette, un nouveau venu à l'école est aussitôt entouré et questionné.

Quand la cloche sonne, personne ne m'a encore adressé la parole. Pourtant, me voyant seul et égaré, un gamin me lance :

— T'es nouveau, toi ?... Quelle classe ?...

Je montre la petite fiche que m'a remise le directeur, la veille.

— Salle B, fait l'autre. Tiens, là-bas, avec le barbu !

Le barbu, c'est mon professeur principal. Il est grand et jeune, avec une fine barbe noire. Sans un mot, il me fait signe de me mettre au bout du rang. Nous grimpons un escalier aux marches usées par des milliers de chaussures, suivons une longue galerie qui conduit à la classe. Pendant que les autres s'installent, je reste près du bureau, pensant que le maître, comme à Reillanette, va devant tout le monde, pour me présenter,

me demander mon nom, mon âge, la région d'où je viens. Rien. Il se contente de jeter un coup d'œil sur la fiche que je lui tends, puis de regarder vers le fond de la salle, pour me chercher une place.

— Là-bas ! à droite... près du radiateur...

C'est tout. Le pupitre à deux places qu'il me désigne est occupé par un seul élève qui a pris ses aises et utilise les deux casiers à livres. Le garçon fait la grimace en déménageant ses affaires pour libérer mon casier.

La classe commence. Je suis si désemparé que j'écoute à peine. Plusieurs fois, je me tourne vers mon voisin, en souriant, pour m'excuser d'avoir réduit son espace. Puis je prends mon courage à deux mains et lui demande son nom, espérant que nous ferons connaissance, et pour commencer, je lui donne le mien.

— Je m'appelle Tidou.

— Moi, Corget, fait-il... simplement, avec un « t » à la fin.

Il n'ajoute rien ; le silence retombe entre nous. Je pense :

« Le prof est peut-être très sévère pour les bavardages, mais tout à l'heure, à la récré... »

Non, à la récréation, Corget retrouve ses amis et, pas plus que le matin, les autres

élèves de ma classe ne viennent vers moi. Ils discutent entre eux et continuent de m'ignorer. Pourtant, ils n'ont pas l'air méchants; c'est de l'indifférence.

Toute la journée se passe ainsi. Le soir, à la sortie, je suis si malheureux que, malgré moi, je m'approche d'un groupe de garçons qui discutent, parmi lesquels je reconnais mon voisin Corget. Quand ils me voient avancer, ils se taisent et s'éloignent. J'ai envie de courir après eux, de leur dire mon chagrin d'être seul. Je n'ose pas.

Alors, je rentre chez nous, là-haut, au cinquième, dans le minuscule appartement où, depuis que nous sommes arrivés, maman continue à chercher de la place pour ranger toutes nos affaires.

Le soir, dans mon lit, j'ai beaucoup de peine à retenir mes larmes. Je pense :

« Bien sûr, ici, ce n'est pas comme à Reillanette. Nous sommes trop nombreux dans ce collège; il faut du temps pour se connaître. Demain, ils me parleront certainement; Corget ne m'en voudra plus d'avoir pris la place à côté de lui. »

Mais le lendemain, je suis toujours un étranger, celui qui vient de loin, qu'on n'accueille pas volontiers, à qui on n'a pas envie de parler.

Cela dure plusieurs jours. Un soir, je suis si triste qu'au lieu de rentrer aussitôt chez nous, je fais un détour, au hasard, avec l'espoir de rencontrer peut-être un gamin de mon âge avec qui je pourrais parler. Et, en marchant, je pense à Reillanette, à Kafi qui me tiendrait compagnie s'il était là, à mon côté. Je lui raconterais mes ennuis, et il comprendrait. Je m'assiérais sur ce banc ; il m'écouterait, dressant ses oreilles.

Tout à coup, comme je passe devant une grande bâtisse d'où s'élève le cliquetis régulier de machines à tisser, je m'arrête, retenant ma respiration. Sur le coussin du siège avant d'une voiture arrêtée au coin de la rue se tient un chien... un chien qui ressemble tant à Kafi que pendant quelques secondes je crois que c'est lui. Bouleversé, je reste planté là, fasciné par l'animal qui, assis à la place de son maître, les oreilles tendues, me regarde.

Inquiet de me voir ainsi immobile, devant la voiture, l'animal découvre ses crocs et grogne sourdement. Je connais assez les chiens pour savoir que, même les plus doux, deviennent féroces quand on leur confie la garde d'une voiture qui est, pour eux, une petite maison. Pourtant, je lui parle, essayant

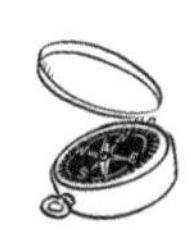

de lui faire comprendre, par la douceur de la voix, que je ne veux pas prendre la voiture de son maître. Il se tait. Croyant l'avoir mis en confiance, je m'approche de nouveau, parlant plus doucement encore, si doucement que le chien penche la tête pour mieux entendre. Nous restons ainsi un long moment, les yeux dans les yeux, et je crois qu'il voit dans les miens que je suis un ami. Alors, j'étends la main pour le caresser.

Cela se passe si vite que je comprends à peine ce qui m'arrive. Je ressens une violente douleur au poignet, je pousse un cri. Le chien a happé ma main et enfoncé ses crocs profondément dans ma chair.

Pendant quelques instants, je reste hébété, les yeux fixés sur mon poignet où perlent des gouttes de sang. Puis je me mets à courir pour rentrer chez nous. Malgré la douleur qui grandit, je prends le temps de m'arrêter devant la porte de l'immeuble, pour m'envelopper la main dans un mouchoir, afin de ne pas répandre de sang dans l'escalier ; la gardienne me fait toujours aussi peur. Quand je parviens au cinquième étage, mon mouchoir est tout rouge.

— Tidou ! s'écrie maman, en devenant blême. Un accident ?... Tu es blessé ?...

À peine dans la cuisine, je m'effondre sur une chaise, à bout de souffle, la tête pleine de vertiges. Par petits bouts de phrases, j'explique ce qui m'est arrivé.

— Un chien, fait maman affolée, un chien qui t'a mordu ?...

De frayeur, mon petit frère Géo se met à pleurer. Elle l'envoie dans la chambre, pour qu'il ne voie pas la blessure puis, lentement, effrayée elle-même, enlève le mouchoir. Je répète :

— Ce n'est rien, maman, presque rien...

Devant mon poignet couvert de sang, elle recule.

— Vite, Tidou, il faut aller à la pharmacie ! Si ce chien était enragé ?...

Elle jette vivement son manteau sur ses épaules, passe le sien à mon petit frère qu'elle n'ose pas laisser seul dans l'appartement, à cause de ses fenêtres si hautes au-dessus de la rue. Sur le coup, quand le chien m'a mordu, j'ai ressenti une douleur terrible, puis, presque aussitôt, plus rien. Maintenant, la douleur revient, plus sourde, mais continue. Cependant, je n'ose pas me plaindre.

Heureusement, le pharmacien n'est pas très éloigné de la rue de la Petite-Lune. En enlevant le mouchoir serré par maman autour de mon poignet, il fait la grimace.

— C'est un chien, dis-tu, qui t'a fait cette sale blessure?... Je peux nettoyer la plaie, mais il faut aller voir un médecin... et sans tarder.

Pendant qu'il imprègne la déchirure d'un liquide qui me brûle comme du feu, il indique à maman l'adresse d'un médecin, sur le boulevard de la Croix-Rousse. Comme je suis très pâle, il me donne à boire de l'eau sucrée. Alors, on sort pour aller chez le médecin mais il n'est pas à son cabinet. Heureusement, pendant que la secrétaire prend notre nom et notre adresse sur un carnet, pour lui demander, à son retour, de passer chez nous, un homme entre, une mallette de cuir à la main. C'est le docteur. Il commence par dire qu'il n'a pas le temps, que nous devrons revenir... ou plutôt qu'il passera chez nous, plus tard dans la soirée, vers huit ou neuf heures; mais, devant la mine de maman et ma pâleur, il jette sa mallette sur un meuble et nous fait entrer dans son cabinet.

Ayant défait le pansement tout neuf, il a la même grimace que le pharmacien.

— Pas beau, ça, pas beau du tout... Mon grand, ce n'est sûrement pas un simple roquet qui t'a mordu.

Il me pose toutes sortes de questions, sur la façon dont l'animal s'est jeté sur moi, sur l'endroit où cela s'est passé. Je ne me souviens plus de rien, sauf que c'est un gros chien-loup qui ressemble à Kafi.

— De toute façon, déclare le docteur en se tournant vers maman, que le chien soit enragé ou non, il faut mener votre fils à l'hôpital, pour la piqûre.

— À l'hôpital ?...

— Le plus tôt sera le mieux.

Maman s'affole. Elle connaît encore si mal la ville. Et comment faire avec Géo ? Le docteur, qui, au fond, doit être un brave homme, comprend sa détresse.

— Il se trouve, dit-il brusquement, que je devais descendre dans la soirée, à l'hôpital, voir un patient. Alors un peu plus tard, un peu plus tôt...

Et il nous embarque dans sa voiture. Mon petit frère, rassuré, est ravi ; il adore monter en voiture ! Moi, tout le long du trajet, je ne cesse de regarder le gros pansement qui entoure ma main gauche. J'ai toujours très mal, mais ce n'est rien à côté de mon chagrin de voir maman si inquiète.

Heureusement, à l'hôpital, c'est vite fait... si vite même, que, dix minutes après notre

arrivée, nous sommes de nouveau dans la petite salle à l'entrée, attendant le médecin qui nous a promis de nous remonter à la Croix-Rousse. Il est déjà tard, très tard, maman commence à s'inquiéter, non plus pour moi, puisqu'on l'a rassurée, mais à cause de papa qui va rentrer et trouvera la porte close.

Il est plus de sept heures quand le médecin reparaît. Un quart d'heure plus tard, nous arrivons dans la rue de la Petite-Lune. En haut, sur le palier du cinquième, mon père nous attend, inquiet. Ayant trouvé porte close et aperçu quelques gouttes de sang sur les marches, il a tout de suite pensé à un accident et a dégringolé les cinq étages pour questionner la gardienne qui n'a rien pu lui dire. Alors, il est remonté, anxieux, et a attendu.

— Ce n'est rien... Rien de grave, fait tout de suite maman.

À ma place, elle raconte ce qui m'est arrivé, en essayant de réduire l'affaire à un simple coup de dents d'un chien que j'ai voulu caresser, en passant, dans la rue. Soulagé de voir qu'en effet ce n'est pas très grave, mon père se contente de hocher la tête mais, pendant le dîner, en apprenant qu'il a fallu aller

à la pharmacie, puis chez le médecin et finalement à l'hôpital, il s'emporte presque.

— À ton âge ! Tidou, comme si tu ne savais pas qu'on ne doit jamais caresser un chien inconnu. On dirait que tu le fais exprès. Nous n'avons donc pas assez de dépenses, en ce moment, avec notre installation ?... Et tout ça, bien sûr, à cause de Kafi.

Et il se met à frapper du poing sur la table, jurant que c'est ridicule et que jamais, même si les gardiennes tolèrent les bêtes, un chien n'entrera chez nous.

Je baisse la tête et ne réponds pas... Ce soir-là, dans mon lit, ce n'est pas ma main endolorie qui m'empêche de dormir. Plus jamais je ne reverrai mon cher Kafi ; c'est pire.

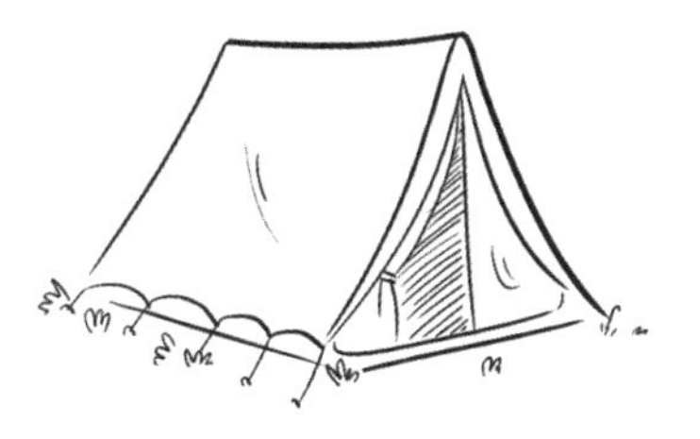

chapitre 4

Le Toit aux Canuts

Je dois rester deux jours sans aller en classe, à cause de mon bras douloureux. Quand je reviens au collège, avec ce gros pansement qui dépasse de ma manche gauche, je me sens gêné, honteux. Que vais-je dire à mes amis s'ils me demandent une explication ? Car je ne veux pas avouer que je me suis fait mordre par un chien ; c'est trop stupide.

J'ai tort de m'inquiéter. Quand j'entre dans la cour, presque tous les élèves jettent un coup d'œil sur ma main, mais aucun d'eux ne me questionne et le professeur, lui-même, quand nous entrons en classe, se contente de dire :

— Encore un maladroit qui se tape sur la main, alors qu'il visait le clou. Heureusement, c'est la main gauche, tu pourras tout de même écrire.

Et je retrouve ma place, bien chauffée par le radiateur, mais qui, pour moi, demeure glacée. Est-ce que toute l'année ce sera ainsi ? Oh ! que je déteste cette ville sans soleil, si hostile, qui se referme devant moi comme, à Reillanette, se referment certaines plantes sauvages dès qu'on les effleure.

Pourtant, à plusieurs reprises, je vois bien que mon pansement intrigue Corget qui jette, sur ma main, des regards curieux. Le professeur vient d'expliquer un problème et nous prenons nos cahiers quand il me demande :

— Comment tu t'es fait ça ?... Avec un marteau ?

J'ai envie de dire oui, mais quelque chose me retient. Après tout, pourquoi avoir honte ?

— Non, pas avec un marteau... C'est un chien qui m'a mordu.

Alors, Corget, qui m'a à peine regardé en posant sa question, se tourne vers moi avec un air bizarre.

— Un chien ?... Qu'est-ce que tu lui avais fait ?

— Rien, je voulais seulement le toucher, je ne le croyais pas méchant.

Corget n'ajoute rien. D'ailleurs, à ce moment, le professeur tourne la tête de notre côté. Le silence retombe entre nous... et il dure jusqu'à la sortie. Mais en rentrant, l'après-midi, comme s'il reprenait une conversation interrompue depuis quelques instants, Corget se tourne vers moi.

— Les chiens... tu ne les aimes pas ?

La question me paraît si étrange, de la part de ce garçon qui ne s'intéresse pas à moi, que je le regarde à mon tour.

— Pourquoi tu me demandes ça ?

— Parce que, les chiens, quand on les aime, ils ne mordent pas ; tout le monde le sait.

Je ne réponds pas, car Corget a parlé presque à haute voix, sans s'en rendre compte, et le maître nous regarde de nouveau. Au bout d'un moment, je reprends :

— C'est vrai, mais celui-là était assis sur le siège d'une voiture qu'il gardait... c'est pour ça.

Ma réponse paraît satisfaire mon voisin qui pousse un soupir, comme un soupir de soulagement. Il ajoute :

— Il était comment ?

— Un chien-loup. Je m'étais approché pour le caresser... parce qu'il ressemblait à celui que j'ai laissé là-bas, à Reillanette.

— Où ?

— À Reillanette, mon village, près d'Avignon.

— Tu avais un chien-loup ?

— Il s'appelait Kafi. Je l'aimais beaucoup, mais la gardienne, ici, ne veut pas de chiens dans l'immeuble ; il a fallu le laisser là-bas.

Je n'en dis pas plus. Le professeur vient d'ouvrir son livre et commence la lecture. Mais je suis heureux ; Corget m'a parlé, il s'est intéressé à ce que je disais, je ne me sens plus tout à fait un étranger ! Du coup, cet après-midi de classe me paraît beaucoup moins long que les précédents. Le soir, alors que je range mes affaires dans mon casier, Corget, qui ne m'avait plus rien dit, se penche vers moi.

— Tout à l'heure, à la sortie, tu m'attendras...

J'en reste tout étonné, ne pouvant croire encore qu'il veut bavarder avec moi. Je boucle mon sac à dos en vitesse. Pendant quelques instants, dans les couloirs, c'est la bousculade habituelle et, malgré mes efforts pour ne pas perdre Corget de vue, il disparaît, happé par le tourbillon. Je l'attends

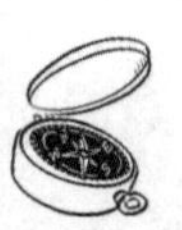

dehors, sur le trottoir, le cherche parmi les petits groupes de gamins qui discutent avant de se séparer. A-t-il oublié ?

Enfin, je le vois se détacher d'une bande, celle dont j'ai voulu m'approcher le premier jour.

— Viens ! dit-il.

Nous marchons un moment, silencieux, lui, sifflotant, moi, me demandant toujours ce qu'il me veut.

— Alors, tu aimes les chiens ? fait-il.

— Oui.

— Moi aussi. J'en ai eu un il y a quatre ou cinq ans, pas un gros chien comme le tien, ça mange trop... un petit chien mais intelligent... Je lui avais appris des tas de choses, à se tenir sur les pattes de derrière, sur celles de devant, à passer dans un cerceau... Et puis, un jour, il s'est fait écraser... oh ! bêtement, pas par une voiture, par un sac tombé d'un camion, juste au virage de la rue Pilate... Il m'a manqué longtemps... et encore maintenant quand j'y pense...

En parlant, il m'entraîne le long de petites rues qui nous éloignent plutôt de la mienne. Je lui demande :

— Où on va ?

— Tu ne connais pas le Toit aux Canuts ?

— Non !

— C'est une petite place, plutôt une terrasse. On a une vue incroyable sur toute la ville. Il paraît qu'avant les ouvriers du quartier, qui n'avaient pas le droit de fumer dans l'atelier, venaient là, de temps en temps, bourrer une pipe, en regardant la ville, au-dessous. C'est pour ça qu'on l'appelle le « Toit aux Canuts »...

Je regarde Corget; pendant une semaine, il ne m'a rien dit et voilà qu'il devient presque bavard, que son visage fermé se fait souriant ! Tout à coup, au bout d'une montée, comme on appelle à Lyon ces nombreuses ruelles, faites à moitié d'un escalier et d'une pente glissante comme un toboggan, nous arrivons sur une petite place bordée d'un muret.

— C'est là, fait Corget, regarde !

La nuit tombe; la ville entière s'illumine sous nos pieds. Mon ami étend le bras, me montre le Rhône et la Saône, ou plutôt les couloirs d'ombre qui marquent leur place entre les lumières, puis prononce des noms... des noms qui pour moi ne disent pas grand-chose.

— C'est beau, hein ?... Sûrement plus beau que le patelin d'où tu viens !

Je le regarde encore, surpris de cette joie qu'il éprouve à me faire découvrir sa ville. Est-ce pour cela qu'il m'a fait venir jusqu'ici?... Malheureusement, je ne peux pas partager son plaisir. Vu de la colline qui domine la rivière, Reillanette, avec ses oliviers d'argent, ses grands cyprès noirs, me paraît mille fois plus beau que ce paysage infini de toits et de cheminées que les lumières ne parviennent pas à rendre moins triste. Mais je ne veux pas faire de la peine à mon nouvel ami. Je murmure :

— Oui, c'est grand, beaucoup plus grand que mon village.

Alors Corget vient s'asseoir sur le rebord du petit mur, ses jambes pendant dans le vide, et je l'imite. Encore une fois il promène son doigt devant nous, s'arrêtant sur des grappes de lumières, prononçant d'autres noms. Puis, tout à coup, il penche la tête en avant, comme s'il regardait le bout de son pied battant le vide, et demeure silencieux. J'attends. Enfin, à mi-voix, il dit :

— Si je viens souvent ici, ce n'est pas seulement parce que c'est beau; les gens y promènent leurs chiens; ça me rappelle celui que j'avais, quand j'étais petit... Le tien, il s'appelait comment?

— Kafi !

— Drôle de nom !

— C'est celui du vieux Marocain qui me l'a donné.

— Qu'en as-tu fait avant de partir ?... Tu l'as donné à quelqu'un ?

— Non, pas donné, seulement laissé... Il est toujours à moi.

Corget fronce les sourcils, se gratte le menton et se tait un long moment. Puis, brusquement, il se tourne vers moi.

— Et tu n'aimerais pas le retrouver ?

— Je te l'ai dit : notre gardienne ne veut pas de chiens dans la maison... et puis chez nous, c'est si petit.

Corget se frotte encore le menton. Je vois bien qu'il réfléchit à quelque chose, mais je ne peux pas deviner.

— Et si on trouvait un moyen, reprend-il, un endroit pour le garder. Moi aussi, j'aime les bêtes. Tu le ferais venir, on le soignerait, il serait un peu à nous deux.

— Mais où le cacher ? C'est un gros chien, il a besoin d'une grande niche, de beaucoup de nourriture.

— Pour la niche, ce ne sera pas difficile, je connais un endroit parfait, un sous-sol abandonné... Viens voir, c'est près du Toit aux Canuts.

Il saute du muret. Nous descendons une ruelle ; il me désigne une vieille bâtisse.

— C'est là, la maison n'est plus habitée ; elle sert d'entrepôt à une entreprise de soierie, mais où on ne met rien, à cause de l'humidité… pourtant, ce n'est pas humide, tu vas voir.

Ce sous-sol abandonné n'a pas de porte ; nous entrons à tâtons.

— Bien sûr, de nuit, on ne voit pas grand-chose, mais ce n'est pas la place qui manque… et tu peux sentir : pas la moindre odeur de moisi.

— Et pour le nourrir ?

— On s'en occuperait tous… je veux dire : ceux de la bande.

— Quelle bande ?

— Ah ! oui, tu ne sais pas… on est un groupe de copains dans le quartier, on s'entend bien. Les autres nous appellent « la bande du Gros-Caillou »… Mais tu ne sais peut-être pas non plus ce qu'est le Gros-Caillou ?

Si, je connais déjà, sur le boulevard de la Croix-Rousse, cette curiosité de Lyon, une énorme pierre transportée là, paraît-il, par les glaciers des Alpes, il y a des milliers d'années.

— Oui, continue Corget, on nous a donné ce nom parce que, le mercredi, il nous arrive

de nous donner rendez-vous, là-haut, sur le boulevard, pour jouer au foot ou faire du roller… un ballon et des rollers qu'on s'est achetés nous-mêmes, en se cotisant, parce que ça coûte cher. Avec toute la bande, ton chien ne manquerait de rien.

— Tu crois vraiment ?

— J'en suis sûr... tiens, si tu veux, demain, je leur en parlerai.

L'idée est merveilleuse ; pourtant, j'hésite. D'abord, cette bande qui m'a tenu à l'écart m'effraie un peu... et puis, Kafi a toujours été mon chien à moi, rien qu'à moi. Je n'ai pas envie de le partager avec d'autres. Je crois que Corget comprend la raison de cette hésitation. Il n'insiste pas.

— Bien sûr, fait-il, c'est simplement une idée qui m'est passée par la tête, comme ça, ce matin... mais ce serait quand même chouette d'avoir un chien, hein, Tidou ?

C'est la première fois qu'il m'appelle Tidou. Cela me bouleverse. Je le regarde. Ses yeux brillent. Il aime les bêtes, comme moi, il peut devenir mon ami. Il m'est difficile de ne pas accepter pour lui... et pour moi aussi. Je serais si heureux de retrouver mon brave Kafi.

Tout à coup, je m'aperçois qu'il est tard, que maman m'attend, se demandant s'il ne

m'est pas encore arrivé un accident. Je serre la main de Corget, très fort.

— Oui, ce serait vraiment chic s'il venait !...

Et je pars en courant.

chapitre 5

La bande du Gros-Caillou

Je suis si bouleversé que, ce soir-là, pendant le repas, mon père me demande à plusieurs reprises pourquoi je ne tiens pas en place sur ma chaise. Je cache mon émotion en parlant de ma blessure qui me brûle. C'est vrai, d'ailleurs ; en cicatrisant, la plaie me donne des démangeaisons, mais celles-ci sont supportables. En réalité, je ne pense qu'à Kafi. Mon nouvel ami a ranimé en moi une lueur d'espoir. Sur le coup, je suis resté indécis, préférant garder mon chien pour moi tout seul mais, je comprends bien que c'est impossible. Alors, j'accepterai.

Le soir, quand maman vient me dire bonne nuit, j'ai envie de tout lui dire, je suis sûr

qu'au fond d'elle sa joie de revoir Kafi serait presque aussi grande que la mienne, mais la colère de mon père, l'autre jour, m'a affolé. Même si Kafi ne doit jamais pénétrer dans la maison, papa me grondera peut-être ? Alors, je me tais, ce qui me fait beaucoup de peine.

Le lendemain, je pars pour le collège, non plus triste comme les autres jours, mais tout de même un peu inquiet. Comment vais-je retrouver Corget ? Hier, je l'ai quitté assez brusquement. A-t-il changé d'idée pendant la nuit ?... A-t-il parlé de moi et de mon chien à la bande du Gros-Caillou ?

Quand j'arrive devant la porte du collège, Corget n'est pas encore là. Je ne l'aperçois pas non plus dans la cour. Il est pourtant facilement reconnaissable avec son gros pull de laine chinée, rouge et vert. Il arrive en courant, juste au moment où nous nous mettons en rang. Je tourne les yeux vers lui mais, malgré l'insistance de mon regard, il ne paraît pas faire attention à moi.

Nous nous retrouvons côte à côte, en classe, à notre bureau. Il me semble qu'il a repris son air des premiers jours, son air de garçon qui ne s'intéresse pas à ce qui se passe autour de lui, mais tout à coup, il se penche vers moi.

— Alors... tu as réfléchi ?

— Oui !

— C'est d'accord ?

— D'accord !

Il pousse un léger soupir de satisfaction et ajoute :

— Dans ce cas, on en reparlera tout à l'heure.

Et le travail commence, comme d'habitude, comme si on ne se connaissait pas, mais à la récréation (je me demande encore comment il s'y est pris pour avertir les autres), toute la bande du Gros-Caillou se trouve réunie, sous le préau, autour de moi.

Ce sont presque tous des gamins de mon âge, sûrement pas des gosses de familles riches, rien qu'à voir leurs vêtements et surtout leurs chaussures.

— Je vous amène Tidou, le nouveau, annonce Corget, je le connais. Hier soir, on a parlé tous les deux sur le Toit aux Canuts... Vous ne savez pas qui lui a fait cette blessure à la main ?

Tous les yeux se posent sur mon pansement, puis remontent vers le visage de Corget pour y trouver une explication.

— C'est un chien qui lui a fait ça, un gros chien-loup... comme celui qu'il a laissé dans

son patelin quand il est venu à Lyon, un chien qu'il voulait caresser parce que, justement, il ressemblait au sien.

— Ah… font deux ou trois voix un peu déçues. Et alors ?

— Alors, reprend Corget, on a pensé, Tidou et moi, qu'on pourrait peut-être faire venir son chien. Il s'appelle Kafi et il n'est pas méchant. J'ai trouvé un endroit où on le mettrait, dans une vieille maison, en bas de la Rampe des Pirates... Seulement, un chien comme lui ne grignote pas que des miettes, évidemment. Il faudrait tous nous en occuper... Qu'est-ce que vous en dites ?

Cette fois, les visages s'épanouissent. Un chien !... Un chien qu'on emmènera en promenade, qu'on soignera, qui deviendra un ami ! L'idée est magnifique.

— Qui est d'accord ? demande Corget.

Toutes les mains se lèvent. Je ressens un petit pincement au cœur en voyant, à l'avance, Kafi partagé entre de si nombreux nouveaux maîtres, mais je sais bien que, malgré tout, je serai toujours son préféré... surtout, je sens qu'il ne sera pas malheureux.

Et puis, grâce à lui, je me trouve admis dans cette bande qui, puisqu'elle aime les bêtes, me paraît à présent sympathique.

Mais comment trouver le moyen de faire venir Kafi à Lyon ? Sur le moment, personne n'a pensé aux difficultés. Plusieurs « Gros-Caillou » proposent de vendre le ballon de foot et les rollers. On pourra alors payer mon voyage à Reillanette. Mais, pour moi, c'est quasi impossible. Je devrais partir très tôt, le matin, rentrer très tard, le soir, si tant est que le voyage soit faisable dans une seule journée... Quant à envoyer un autre « Gros-Caillou », c'est délicat. Kafi voudra-t-il le suivre ?

— C'est vrai, reconnaît Corget, quand on était sur le Toit aux Canuts, ça paraissait tout simple... mais je suis certain qu'il y a un moyen.

Ce moyen, je le trouve dans mon lit, avant de m'endormir. Fréquemment, de gros camions de légumes ou de primeurs, venant du Midi et montant vers Lyon, passent à Reillanette. Souvent, les chauffeurs de ces poids lourds s'arrêtent au café, chez Costellou, qui a été « poids lourd » lui aussi, avant son accident. J'écrirai à mon ami Frédéric Aubanel, je lui demanderai (puisque le café est proche de la boulangerie) de parler à un de ces chauffeurs qui se chargera peut-être de prendre Kafi à son bord. Il me suffira de savoir l'endroit où le camion s'arrête, à Lyon, pour que je puisse

venir attendre Kafi. Oui, c'est simple, et ça ne nous coûtera rien, ou presque rien, seulement le pourboire à glisser au chauffeur.

Le lendemain, j'écris donc à Frédéric une longue lettre, la seconde depuis que je suis arrivé à Lyon, mais celle-ci n'est plus triste comme l'autre. Je lui parle du collège, des « Gros-Caillou », lui explique en détail comment il devra s'y prendre :

« Dès que tu auras trouvé quelque chose, Frédéric, écris-moi vite. Si tu savais comme j'ai hâte de retrouver mon chien ! »

Seulement je suis bien ennuyé au moment de lui dire où il devra m'adresser sa lettre. Je ne veux pas qu'elle arrive chez moi. Non pas que j'aie pas l'impression de faire quelque chose de mal... Je suis même sûr que maman comprendrait et peut-être que mon père, lui non plus, ne dirait rien ; mais puisque, de toute façon, Kafi ne doit pas entrer dans la maison, inutile de les contrarier.

Avant d'envoyer ma lettre, je dois attendre d'avoir revu les « Gros-Caillou ». L'un d'eux, nommé Gerland, qui a perdu son père et dont la mère travaille dans une usine, déclare que c'est toujours lui qui ouvre la boîte aux lettres en rentrant de classe. Je n'ai qu'à donner son adresse.

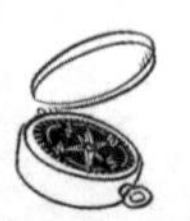

Alors, pour moi et pour la bande du Gros-Caillou commence une attente qui paraît interminable. Au bout de trois ou quatre jours, on se met à guetter avec impatience, à chaque rentrée de l'après-midi, l'arrivée de Gerland, qu'on appelle Gnafron parce que, au rez-de-chaussée de sa maison, se trouve une boutique de cordonnier. Mais Gnafron secoue la tête; il n'a encore rien trouvé dans sa boîte aux lettres. Pour nous, Kafi est devenu une sorte de personnage extraordinaire dont la venue va bouleverser la vie de la bande du Gros-Caillou. Aux récréations, à la sortie, on me pose toutes sortes de questions sur lui : quelle est sa taille, son poids, la couleur de ses oreilles, de sa queue, les os qu'il préfère, s'il aboie la nuit, s'il poursuit les chats, et beaucoup d'autres choses encore, auxquelles je ne sais pas toujours répondre. Cela devrait me rendre jaloux. Eh bien, non; je me sens au contraire rassuré pour Kafi. Je pardonne aux jeunes Lyonnais leur indifférence et leur froideur des premiers jours. Ils ne ressemblent pas aux gamins de Reillanette mais, maintenant, je sens que je peux réellement devenir leur ami. Ce qui me met à l'aise aussi, c'est de constater qu'ils ne sont pas des enfants de riches. À Reillanette,

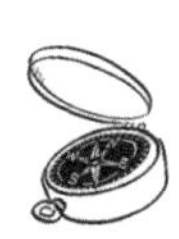

je me suis fait des idées sur la ville : je croyais que dans une ville, dans une grande ville surtout, tout le monde était riche. Mais non ! les « Gros-Caillou » habitent de bâtisses délabrées, comme la mienne, et même, souvent, ils n'ont personne pour s'occuper d'eux, à la maison... C'est peut-être pour cela qu'ils sont si heureux d'avoir un chien dont ils pourront s'occuper, eux.

Enfin, un jour, Gnafron arrive triomphant, brandissant une lettre. En un clin d'œil, la bande se précipite.

— Tu ne l'as pas lue, au moins ? demande Corget.

Gnafron frotte sa tignasse qui ne doit pas souvent passer chez le coiffeur. Il rougit. Mais les « Gros-Caillou » ont juré de ne jamais se mentir entre eux.

— Si, avoue-t-il, je n'ai pas pu m'en empêcher... mais j'ai tout de suite recollé l'enveloppe.

Il me tend la lettre, et, la voix tremblante, je lis. Frédéric explique qu'il n'a pas voulu répondre avant de savoir si le projet était réalisable ; il ne peut pas faire disparaître Kafi sans en parler à son père. Celui-ci a trouvé notre idée amusante et il a accepté. Alors, Frédéric a attendu le passage d'un « poids

lourd » et il en a trouvé un qui veut bien se charger de prendre Kafi à son bord.

« *Tu sais,* explique-t-il, *c'est celui qui, l'an dernier, avait perdu sa montre, sur la place ; tu te souviens, on la lui avait retrouvée au pied d'un platane. Il a accepté. Il monte à Lyon chaque semaine pour livrer des légumes. Il décharge sa marchandise quai Saint-Vincent. Il paraît que c'est au bord de la Saône, pas très loin de la Croix-Rousse – une chance ! Donc, la semaine prochaine, mardi, je lui confierai Kafi. Tu retrouveras ton chien en bon état ; je l'ai bien soigné, tu sais... et même ça me fait de la peine, maintenant, de m'en séparer... Le camion sera à Lyon entre cinq et six heures du soir, plutôt six si la route est mouillée, mais sûrement avant sept. Tu n'auras qu'à attendre quai Saint-Vincent devant les "Entrepôts du Sud-Est". Le chauffeur a dit que c'était écrit en grosses lettres rouges sur la porte. Si, par hasard, tu ne peux pas être là, il laissera Kafi au patron du café, à côté.* »

Frédéric a donc tout prévu, tout arrangé. On est vendredi. Dans cinq jours Kafi sera là. La bande devient folle de joie. Le soir même, elle se retrouve en bas de la Rampe des Pirates où l'installation de Kafi est prévue. Des copains ont apporté des planches, des morceaux de contreplaqué, des scies, des

clous, des vis, de la paille. Il y a assez de bois pour construire un chalet et assez de paille pour faire une meule, tout cela pour une simple niche. On fabrique aussi une porte avec un ingénieux système de fermeture que personne d'autre que nous ne pourra faire fonctionner.

— Si tu veux, déclare Corget, on ne t'accompagnera pas, mercredi, pour chercher ton chien. On t'attendra ici.

Rien ne peut me faire plus plaisir que d'être seul pour retrouver Kafi, lui faire comprendre que, à présent, il aura plusieurs maîtres avec lesquels il devra se montrer très gentil.

J'apprendrai plus tard que les « Gros-Caillou » ont décidé cela ensemble pour que je voie bien qu'ils n'ont pas l'intention de se l'accaparer complètement.

Mais cinq jours, c'est long. Chaque matin, j'ai peur de voir le petit Gnafron apporter une nouvelle lettre de Frédéric, disant que son plan a échoué. Le soir, dans mon lit, je me fais toutes sortes d'idées : Kafi ne voudra pas partir avec le chauffeur... ou bien le chauffeur ne passera pas à Reillanette... ou encore le camion aura un accident en route, et j'en ai des cauchemars pendant

toute la nuit. Presque chaque soir, pendant que maman est occupée par le dîner et par mon petit frère, je descends sur le quai Saint-Vincent comme si cela pouvait faire arriver le camion plus tôt, et je lis et relis la pancarte en grosses lettres rouges « Entrepôts du Sud-Est ». Enfin, mardi arrive.

chapitre 6

Quai Saint-Vincent

Ce matin-là, je me réveille plus tôt que d'habitude. Aussitôt je pense :

« Aujourd'hui !... c'est aujourd'hui qu'il arrive ! »

En même temps, regardant par la fenêtre, je me sens inquiet. Dans le ciel, encore obscur, le jour semble ne jamais devoir se lever. Le brouillard !... Oui, le brouillard, j'en ai déjà entendu parler, mais je ne le connais pas. À Reillanette, personne n'a jamais vu de brouillard. Là-bas, on dit que le mistral le guette dans le défilé de Donzère pour le chasser vers la mer.

Dehors, je reste stupéfait. Je reconnais à peine le chemin du collège. À travers ce voile

gris, les hautes maisons, dont on ne distingue plus le toit, paraissent deux fois plus hautes, et les rues n'ont plus de fin. Les voitures passent, phares allumés, pareils à de gros yeux brillants, et roulent sans bruit comme sur du coton. Sur les trottoirs, les gens emmitouflés, l'écharpe remontée jusqu'aux yeux, surgissent et s'évanouissent brusquement, pareilles à des ombres.

— C'est souvent comme ça, ici, en novembre, m'explique Corget, quand je le retrouve au collège.

— Mais, le camion, tu crois qu'il va venir, quand même ?

— Ne t'inquiète pas, quand le brouillard tombe, c'est seulement sur la ville... ce sont les fumées qui l'attirent.

Cette explication ne me rassure qu'à moitié. Vingt fois, dans la journée, je lève les yeux vers le haut de la fenêtre pour voir si les cheminées, de l'autre côté de la rue, deviennent plus nettes.

Malheureusement, le soir, à la sortie, le brouillard est toujours là, épais, gluant, glacé.

— File vite, dit Corget, on t'attendra tous en bas de la Rampe des Pirates.

Je rentre à la maison en courant. Maman, descendue en ville avec Géo pour lui acheter

un pantalon, n'est pas encore rentrée. Tant mieux ! Je trouve la clé de l'appartement sous le paillasson. Mon sac à dos jeté sur une chaise, je repars en courant... Je débouche sur le quai. On ne voit plus l'autre rive de la Saône. Je n'aperçois l'enseigne rouge des Entrepôts du Sud-Est qu'au moment où j'arrive devant. Aucune voiture le long du trottoir. Les portes de l'entrepôt sont grandes ouvertes. Un homme soulève des caisses pour les ranger. Je lui demande si le camion est arrivé.

— Quel camion ?

— Celui qui vient du Midi.

— Tu sais, mon petit gars, il y en a parfois plusieurs.

— Celui qui arrive tous les mercredis, entre cinq et six heures.

— Ah ! tu veux parler de Boissieux, qui vient de Châteaurenard... non, mon gars, pas encore là... mais il ne tardera pas. Ces gens-là n'ont pas peur du brouillard, ils ont l'habitude.

Rassuré, je m'éloigne et me mets à faire les cent pas, le long du quai. L'humidité du brouillard me pénètre. Je remonte le col de mon manteau qui ne me tient plus très chaud ; je le porte depuis deux ans et il

m'arrive à peine au genou. Tant pis ! je vais retrouver Kafi, je suis heureux, et la ville, pourtant si triste, me paraît presque souriante. Je me vois déjà, remontant vers la Croix-Rousse avec mon chien qui gambade de joie, sautant à côté de moi pour me lécher le visage.

Tout en arpentant le quai, je surveille le trafic, tressaillant au passage de chaque gros camion. Non, ce n'est toujours pas lui ! J'ai emporté une montre, une vieille montre que m'a prêtée un « Gros-Caillou », mais inutile. Tout près, j'entends l'horloge d'une église perdue dans le brouillard.

Six heures ! Pas encore là ! Je continue de faire les cent pas le long de la rambarde, en m'éloignant chaque fois de moins en moins. Six heures et demie !... Je commence à m'inquiéter. Pourtant, avec ce brouillard, un retard n'a rien d'étonnant, je vois bien que toutes les voitures roulent plus lentement.

Au lieu de continuer à arpenter sur le trottoir, je reste planté contre le parapet ruisselant d'humidité, face aux entrepôts et au café qui a comme enseigne *Au Petit Beaujolais*. Sept heures ! Cette fois, mon inquiétude devient de l'angoisse. Soudain, mon cœur se met à battre, non pas de joie mais de peur.

Le gardien de l'entrepôt est en train de fermer les portes du magasin. Je traverse le quai en courant et le rejoins au moment où il fixe une barre de fer pour assurer la solidité de la clôture.

— Oh ! M'sieur ! vous fermez déjà ?

L'homme me regarde en riant.

— Il est sept heures, ma journée est finie !

— Mais... le camion ?

— Ne t'inquiète pas. Boissieux a une clé. Mais il devra décharger seul sa cargaison... Bonsoir, mon petit gars !

Il fourre la clé dans sa poche et s'éloigne. Je reste atterré. Il faut que je rentre. Avant de m'en aller, je veux voir le patron du café, lui expliquer que le chauffeur des Entrepôts du Sud-Est doit m'amener un chien, lui demander de me le garder en attendant que je revienne le chercher.

Mais, juste à ce moment-là, Corget et Gnafron débouchent d'une petite rue. Ils ont attendu, là-haut, avec les autres, jusqu'à sept heures. Ne voyant rien venir, ils ont dégringolé vers le quai. Vivement, je leur explique ce qui se passe.

— Ne t'en fais pas, dit Gnafron, je pourrai rester à ta place. Chez moi, personne ne m'attend, ma mère est partie cet après-midi

pour Trévoux, à l'enterrement d'une tante. Elle ne rentrera que demain soir. Je peux patienter là jusqu'à neuf heures... et même dix, s'il le faut. Tu penses bien qu'à ce moment-là Kafi sera arrivé.

Pour me rassurer complètement, il promet, lorsqu'il remontera vers la Rampe des Pirates avec le chien, de passer par la rue de la Petite-Lune et de m'avertir.

— Tiens, fait-il, comme ça !

Il enfonce deux doigts dans sa bouche et lance un coup de sifflet strident à percer les oreilles d'un sourd. Avant de remonter chez moi, je tends à Gnafron quelques morceaux de sucre qu'il donnera à Kafi pour le mettre en confiance.

Je pars en courant, laissant aussi Corget, qui tiendra compagnie à Gnafron jusqu'à huit heures.

Occupée par Géo qui souffre d'une rage de dents, maman ne s'aperçoit pas que je suis en retard et, par chance, mon père n'est pas encore rentré. Il arrive quelques instants plus tard et on passe à table. J'ai beaucoup de mal à cacher mon émotion.

À chaque bruit montant de la rue, je sursaute. Un moment, croyant avoir reconnu le sifflet de Gnafron, je me lève pour aller

à la fenêtre. Ce n'est qu'une vieille voiture ferraillante qui descend la rue grinçant des freins. Je me remets à table, penaud ; mon père me fixe dans les yeux un long moment et hausse les épaules, mais ne dit rien.

Une fois dans ma chambre, je me déshabille mais, la tête sur l'oreiller, on entend mal. Je reste assis sur mon lit. Chaque minute qui passe augmente mon inquiétude. Neuf heures sonnent à l'horloge de la cuisine, puis neuf heures et demie, puis dix heures. Mes parents sont couchés maintenant, tout est silencieux dans l'appartement. Alors, je me lève, entrebâille ma fenêtre pour être sûr d'entendre l'appel de Gnafron. Au lieu de me recoucher, je reste là, en pyjama, grelottant, dans le froid et le brouillard qui entrent. Onze heures sonnent à une église de la Croix-Rousse. Glacé, je me décide à regagner mon lit. Pour me rassurer, je me dis que Gnafron a dû passer au moment du repas, pendant que Géo pleurait à cause de sa dent, mais je sens bien que je n'y crois pas vraiment. Par la fenêtre restée entrebâillée, je continue de tendre l'oreille, car je ne veux pas m'endormir, mon cœur est trop serré. Couché sur le côté, la tête sur le poing, recroquevillé sous mes couvertures, j'attends toujours, luttant

de toutes mes forces contre le sommeil. Mais je suis trop fatigué, je m'endors comme une masse ; il est plus de minuit.

Quand je me réveille, je vois tout de suite, à la lueur qui pénètre dans la chambre, qu'il est plus tard que d'habitude. La tête lourde, je cherche à rassembler mes souvenirs quand maman entre, m'apportant mon chocolat au lait comme elle fait chaque mercredi.

— Oh ! Tidou !... Tu as dormi la fenêtre grande ouverte, par ce temps de chien.

Dans mon cerveau encore tout embrouillé, je n'entends que le mot « chien ». Je me dresse sur mon oreiller.

— Le chien ?... Kafi ?... Où ça ?...

Maman sourit, pensant qu'en rêvant je me crois encore à Reillanette.

— Mon pauvre Tidou, c'est le froid qui t'a fait faire des cauchemars. Ah ! ces fenêtres qui ferment mal... tu n'as pas pris froid, au moins ?

J'avale vivement mon déjeuner et me lève. Le mercredi matin, c'est toujours moi qui fais les courses. En même temps, je peux descendre sur le quai. Mon sac à bout de bras, je dégringole l'escalier, manquant de renverser la gardienne qui monte au troisième,

mais j'entends à peine les injures qu'elle me lance, je suis déjà en bas.

Tout juste dehors, j'aperçois Corget qui monte la rue de la Petite-Lune, venant sans doute me rassurer. De loin, je crie :

— Kafi ?...

Corget fait un signe de la main et secoue la tête. Kafi n'est pas arrivé hier soir. Gnafron, que Corget vient de voir, est resté sur le quai jusqu'à onze heures. Le camion n'était toujours pas là. Gnafron aurait pu l'attendre encore mais il avait si froid, si faim, qu'il est rentré chez lui.

— Ne t'en fais pas, dit Corget en me donnant une tape sur l'épaule, si le camion n'est pas arrivé, c'est sans doute qu'il n'est pas parti ; il viendra peut-être aujourd'hui.

Corget a raison, j'ai tort de m'inquiéter. D'ailleurs, on sera vite fixés. Si Kafi n'a pas quitté Reillanette, Frédéric m'aura sûrement écrit hier soir, avant la levée de la poste, à sept heures, et une lettre, partie hier de là-bas, doit arriver aujourd'hui.

Pourtant, j'ai hâte de savoir. Nous dévalons vers le quai. C'est étrange, à mesure que nous approchons, je sens à nouveau ma poitrine se serrer, comme si je pressentais une catastrophe.

Deux camionnettes, devant la porte des entrepôts, embarquent des cageots de légumes ; je ne reconnais pas le gardien de la veille. Celui-ci est moins accueillant que l'autre. Nous lui demandons pourquoi le camion de Châteaurenard n'est pas arrivé hier soir.

— Pas arrivé ? fait l'homme. Tenez, regardez.

Il désigne, dans un coin, plusieurs grandes caisses sur lesquelles, en effet, nous lisons, en lettres noires : CHÂTEAURENARD. Mon sang se glace.

— Et mon chien ?

— Quel chien ?

— Le chauffeur, M. Boissieux, devait m'amener mon chien, je l'attendais hier soir.

— Tout ce que je peux te dire, c'est que ce matin, en ouvrant, je n'ai pas trouvé de chien... Heureusement, parce que moi, je n'aime pas les cabots, je l'aurais fait filer.

Corget et moi, nous nous regardons, consternés. Il ne nous reste plus qu'un espoir : le patron du *Petit Beaujolais*. Nous le trouvons, dans sa salle de café, en train de balayer sous les tables. Lui, au moins, a une bonne tête, une tête toute ronde, presque chauve, et une petite moustache noire,

pointue aux deux bouts. Je lui demande si, par hasard, hier, tard dans la soirée, un certain M. Boissieux ne lui aurait pas laissé un chien en garde, en disant que quelqu'un viendrait le chercher.

— Un chien?... Non, je n'ai rien vu. Boissieux n'a pas dû venir. Je le connais bien, vous pensez, chaque fois qu'il arrive, il boit son petit verre au comptoir.

— Mais le gardien des Entrepôts dit qu'il a déchargé ses cageots.

L'homme ouvre des yeux étonnés.

— Alors, c'est qu'il est passé très tard, après la fermeture du café... c'est-à-dire après dix heures et demie.

De plus en plus désemparé, je regarde de nouveau Corget, cherchant à comprendre.

— Pas d'inquiétude, fait mon ami, ça veut dire tout simplement que Kafi est encore là-bas. Qui sait? Il n'a peut-être pas accepté de suivre quelqu'un qu'il ne connaissait pas... ou alors, Frédéric n'a pas voulu le laisser partir.

— Non, je suis certain qu'il y a autre chose.

Nous remercions le patron du café et sortons, mais sur le trottoir, je ne peux pas aller plus loin. Une force irrésistible me retient là, comme si, tout à coup, mon brave Kafi

allait surgir, sauter sur moi, me lécher de sa langue rose. Instinctivement, je le cherche, autour de nous. Soudain, mes yeux s'arrêtent sur une sorte de petit renfoncement entre l'entrepôt et le café, je m'avance et, brusquement, je sens mon sang se figer dans mes veines.

— Oh !...

Corget s'est approché lui aussi, et, comme moi, il a vu. À un long clou en fer, planté dans la muraille, pend quelque chose... un bout de corde... non, pas de la corde : un bout de cuir jaune. Je pâlis et me mets à trembler.

— Corget !... Ce cuir... je le reconnais... un bout de la laisse de Kafi... On l'a attaché là... et il s'est sauvé !

Mon pauvre Kafi !... perdu dans Lyon... une si grande ville ! C'est fini, je ne le reverrai plus jamais. Oh ! pourquoi l'avoir laissé là, tout seul ? Les sanglots me montent à la gorge. J'ai le plus grand mal à me retenir de pleurer.

Pendant que je reste là, au bord du trottoir, désespéré, promenant mon regard brouillé de larmes le long des quais, Corget essaie de détacher le bout de lanière solidement fixé au clou par un double nœud. Tout à coup, mon ami revient vers moi, me prend par le bras.

— Tidou, regarde... regarde de près ! Ton chien ne s'est pas sauvé tout seul... on a coupé la laisse avec quelque chose de tranchant, un couteau !...

Tout tremblant, je me penche sur le bout de cuir tressé. Une corde ou une lanière qui se rompt sous l'effort s'effiloche, se déchire. Ici, la coupure est franche, parfaitement nette. On a coupé la laisse de Kafi. Qui ?... Pourquoi ?

Bouleversés, nous revenons vers le café. Le patron, très intrigué lui aussi, sort à son tour, veut voir le piton où pendait le bout de cuir. Il ne comprend pas non plus.

— Pourtant, cette nuit, je n'ai rien entendu... c'est vrai que je suis un peu dur d'oreille.

Notre seule chance d'éclaircir ce mystère est de voir le chauffeur. Nous retournons à l'entrepôt. Le gardien, qui commence à être agacé par toutes nos questions, ne nous rassure pas vraiment.

— Tout ce que je peux vous dire, déclare-t-il, c'est qu'il habite dans le quartier de la Guillotière, pas loin du garage des camions de son entreprise : le garage des Dombes... Allez, écartez-vous, vous nous gênez !

Nous nous retrouvons sur le trottoir. Je demande à Corget :

— La Guillotière, c'est loin ?

— À l'autre bout de Lyon.

Il est déjà dix heures et je n'ai pas encore fait mes courses. Il faudra attendre l'après-midi pour aller là-bas.

— Dommage, fait Corget, moi aussi, il faut que je rentre maintenant et, cet après-midi, je ne serai pas libre, je dois garder ma petite sœur.

Ensemble, nous remontons vers la Croix-Rousse, sans dire un seul mot, et je sens bien que Corget a presque autant de peine que moi...

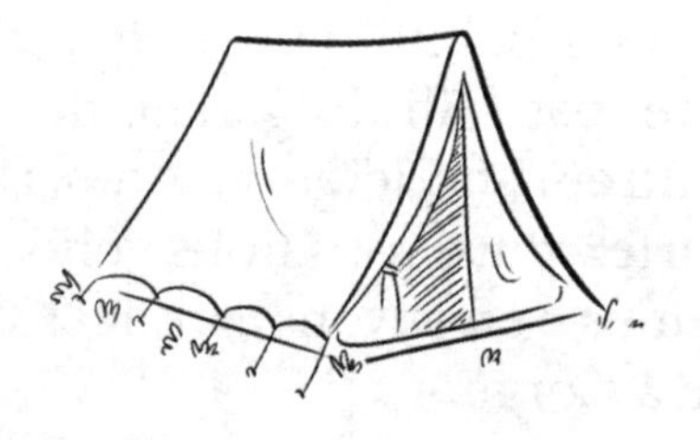

chapitre 7

Le récit du chauffeur

À table, j'arrive à peine à cacher mon désespoir. Il me semble que maman devine ce qui me tracasse. Pourtant je ne veux pas encore croire Kafi perdu pour toujours.

Je pars tout de suite après le repas. Heureusement, après le brouillard glacé de la veille, le ciel s'est dégagé ; on dirait même que le soleil veut se montrer. Je ne sais pas très bien où se trouve ce quartier de la Guillotière, mais Corget m'a dit : « De l'autre côté du Rhône, en le descendant, près de la voie ferrée. » C'est la première fois que je traverse, seul, toute la ville ; cela ne m'effraie pas. Je ferais tout pour retrouver mon chien ! Je préfère même être seul, pour ne pas avoir à cacher mes larmes.

J'ai un peu d'argent dans ma poche, assez pour prendre le bus, mais j'ai peur de me tromper, peur surtout, je ne sais pas pourquoi, que le contrôleur me demande où je vais, comme si je faisais quelque chose de mal.

Je traverse le Rhône sur un grand pont et suis longtemps l'autre rive. Des monceaux de feuilles mortes et mouillées jonchent les quais. Tout en marchant, je n'arrête pas de penser à Kafi. Chaque fois que j'aperçois un chien, sur un trottoir, je tremble. La ville me paraît plus grande encore que vue du haut de la Croix-Rousse, presque effrayante. Si vraiment Kafi s'y est perdu, comment le retrouver?... Mais non, il n'est pas perdu. Je me suis déjà inventé toute une histoire. Le chauffeur a attaché Kafi contre le mur du café pendant qu'il déchargeait ses caisses; il a voulu le reprendre pour l'emmener chez lui, mais le nœud était trop serré, alors, pressé, il a coupé la laisse.

Voilà ce que j'ai trouvé et, peu à peu, malgré moi, je finis par me convaincre que tout s'est passé ainsi... Enfin, j'aperçois un pont sur lequel passent non pas des bus mais des trains. Je suis à la Guillotière. Pourtant, après avoir questionné plusieurs passants, je finis par apprendre que le garage des Dombes se

trouve beaucoup plus loin. Je le découvre dans une rue pleine d'entrepôts et d'ateliers. C'est un grand garage. Heureusement, un pompiste qui distribue l'essence, à l'entrée, peut tout de suite me renseigner.

— Boissieux ! oui, il n'habite pas loin d'ici... tiens, au bout de la rue qui coupe celle-ci, là-bas, à droite. Je ne sais pas le numéro, mais il y a un bureau de tabac, c'est au-dessus... Tu le trouveras sûrement, il est rentré ce matin à six heures, juste quand je prenais mon service, il m'a dit qu'il était épuisé.

Je trouve la maison sans difficulté. Au moment de sonner, mon cœur se serre. Il me semble que, derrière la porte, j'entends gratter Kafi, comme il fait à Reillanette, quand il demande à sortir. Au moment d'appuyer sur le bouton, je crois qu'il va se mettre à aboyer. Non, j'entends seulement le pas pressé de quelqu'un qui vient ouvrir. Je me trouve devant un visage de femme, un visage inquiet qui cache mal sa surprise ou plutôt sa déception.

— Oh ! je croyais que c'était le docteur !... Que veux-tu, mon petit ?

— Je voulais voir M. Boissieux... à cause de mon chien... je ne l'ai pas trouvé. Il n'est pas chez vous ?

— Quel chien ?...

Je comprends tout de suite que l'histoire que je me suis racontée est trop belle, et je baisse la tête. Mais au même moment, un homme apparaît, dans le couloir de l'appartement. Je reconnais le chauffeur, dont nous avons retrouvé la montre, Frédéric et moi, à Reillanette.

— Oh ! m'sieur !... mon chien ?...

Le chauffeur fronce les sourcils, très étonné.

— Comment ?... Tu ne l'as pas trouvé ce matin ?

Je sors de ma poche le bout de laisse, tout ce qui me reste de Kafi.

— Voilà ce que j'ai découvert, à un clou, contre le mur du café.

L'homme pousse un soupir, prend le bout de cuir et l'examine.

— Vous voyez, m'sieur, il a été coupé net, avec un couteau... je croyais que c'était vous, que vous aviez ramené Kafi chez vous parce que le café était fermé.

Toute cette scène s'est déroulée sur le pas de la porte. L'homme me pousse vers la cuisine en me faisant signe de parler à mi-voix, comme si quelqu'un dormait, dans une pièce voisine. Il se laisse tomber sur une chaise et se gratte la joue, longuement.

— Je ne comprends pas... fait-il.

Alors, il m'explique : comme convenu, il a pris Kafi dans son camion, au début de l'après-midi, à Reillanette. Mon chien a un peu protesté, au départ, mais une fois dans la cabine, s'est montré parfaitement calme. Jusqu'à Vienne, aucun incident; mais à partir de cet endroit sur la route mouillée, d'abord, puis verglacée, le camion a dû rouler lentement. Malgré tout, il serait arrivé à Lyon avant sept heures si, brusquement, dans un virage, il n'avait dérapé. Oh ! rien de grave, juste une petite glissade vers le fossé. Le camion ne s'est même pas renversé, mais impossible de trouver immédiatement ni à Vienne, ni à Lyon tout proche, une dépanneuse. À cause du verglas, elles étaient toutes occupées sur les routes.

— Quand je suis reparti, continue le chauffeur, il était trois heures du matin. Docilement, ton chien a attendu pendant tout ce temps dans la cabine, sans même s'impatienter. À quatre heures, on est arrivés enfin quai Saint-Vincent. Il m'a fallu une heure pour décharger mes caisses. C'est à ce moment-là que j'ai fait descendre ton chien, me demandant ce que j'allais en faire puisque le café, bien entendu, était fermé.

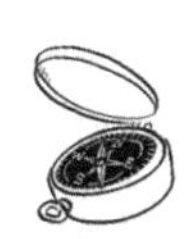

Le laisser dans l'entrepôt?... Je savais que le gardien, ce matin, serait Junod, un drôle de type, brouillé avec tout le monde, capable de laisser filer ton chien, rien que pour le plaisir de faire du mal. Amener Kafi ici?... J'y ai pensé... et c'est bien ce que j'aurais dû faire, en effet. J'ai hésité, à cause de ma fillette, malade depuis trois jours, au lit, avec une forte fièvre. Je craignais que le chien n'aboie, en entrant, et la réveille ou lui fasse peur. D'ailleurs, tu te serais toi-même inquiété de ne pas le trouver. Alors, comme il était cinq heures et que le café ne tarderait pas à ouvrir, j'ai pensé qu'il ne pourrait rien arriver de grave pendant si peu de temps. J'ai attaché le chien dans un coin et j'ai griffonné ce mot que le patron du *Petit Beaujolais* a dû trouver.

— Un mot?

— Quoi?... Il ne t'a rien dit?

— S'il l'avait trouvé, il m'en aurait certainement parlé... Il croyait que vous n'étiez pas venu.

Le chauffeur se gratte encore la joue.

— Ah! ça, alors!... J'ai déchiré une page de mon carnet, je me souviens très bien de ce que j'ai écrit: *«Merci de garder ce chien, il n'est pas méchant; un jeune garçon doit venir*

le prendre. » J'ai signé et, même, ensuite j'ai souligné de deux traits « pas méchant ». Puis j'ai posé la feuille sur la petite table de fer, à côté de la porte, et pour qu'elle ne s'envole pas, j'ai mis dessus un vieux boulon trouvé le long du trottoir.

— Non, le patron du *Petit Beaujolais* n'a rien vu... Alors, on a pris le papier en même temps que Kafi ?

— Il faut le croire... mais vraiment, je ne comprends pas.

Le chauffeur a l'air navré. Je lui demande :

— Dites, m'sieur, est-ce que ça existe, les voleurs de chiens ?

Il soupire.

— Bien sûr que ça existe... et ton chien était un beau chien-loup, mais à cette heure-là, il n'y avait personne sur les quais ; non, je ne me l'explique pas... Mon pauvre, si j'avais su...

Je ne peux pas lui en vouloir ; ce n'est pas sa faute ; il a cru bien faire. La malchance s'acharne sur moi. Pour me rassurer, il me dit que je ne dois pas désespérer. Après tout, il a pu s'échapper des mains de celui qui l'a emmené et alors on le retrouvera à la fourrière.

— La fourrière ?... Qu'est-ce que c'est ?

— Un endroit où on rassemble les chiens errants. Des chiens qui se perdent, ça arrive tous les jours, dans une ville comme Lyon.

— Et on en fait quoi ?

— On les nourrit un certain temps… et puis, si personne ne vient les réclamer, on les abat.

Je sursaute.

— On va tuer mon Kafi ?...

Le chauffeur essaie encore de me rassurer.

— Non, un beau chien comme le tien ne restera certainement pas sans maître. Qui sait, un jour, tu l'apercevras peut-être tenu en laisse par une belle dame... et alors, j'en suis sûr, il te reconnaîtra.

Quand je quitte le chauffeur, je suis désemparé. Je me sens tout à coup si fatigué que je me demande si j'aurai le courage de refaire tout le chemin qui me sépare de la Croix-Rousse. Il fait presque beau, pourtant je trouve la ville plus sombre que la veille, dans le brouillard du quai Saint-Vincent, quand j'attendais, le cœur joyeux.

Malgré ma fatigue, je veux repasser par le quai pour revoir le patron du *Petit Beaujolais.* Non, il n'a pas trouvé le papier ; je découvre seulement le boulon quelques mètres plus loin, dans le ruisseau, mais ce petit morceau de fer ne peut pas dire ce qu'il a vu…

En remontant vers la rue de la Petite-Lune, je fais un crochet par la Rampe des Pirates, pour revoir la niche que nous avions préparée pour Kafi, comme si j'allais le trouver là. Presque tous les « Gros-Caillou » y sont ; ils ont deviné que je reviendrais. En apprenant que Kafi est perdu, ils sont consternés. Cela ne leur paraît pas possible. Mais presque aussitôt, cette consternation est suivie d'indignation et de colère.

— Il faut qu'on le retrouve ! s'écrient-ils. On ira à la fourrière et tous les jours on rôdera sur les quais, et il faudra bien que celui qui l'a pris le rende...

Leur confiance me réconforte. Sera-t-elle assez forte pour m'aider à supporter cette terrible séparation ?

chapitre 8

La même nuit...

Toute la nuit, je rêve de cette fourrière dont a parlé le chauffeur. Je vois un endroit sinistre où Kafi, enfermé dans une cage sans nourriture, avec d'autres chiens qui s'entre-déchirent, m'appelle désespérément – un cauchemar affreux.

Le lendemain, au collège, je retrouve les « Gros-Caillou ». Tous sont tristes comme moi, mais ils gardent quand même confiance. L'un d'eux me dit :

— Moi, je connais une dame du boulevard de la Croix-Rousse, chez qui ma mère fait des ménages ; son chien, qu'elle avait perdu depuis plus de quinze jours, a bel et bien été retrouvé à la fourrière.

Oui, la fourrière, c'est mon dernier espoir. Un de mes amis sait où elle se trouve, dans la banlieue, au bord du Rhône, c'est-à-dire loin de la Croix-Rousse. J'y vais le dimanche suivant, avec Corget et le petit Gnafron, devenus mes meilleurs copains. Il fait gris cet après-midi-là. Après avoir marché longtemps, très longtemps, on arrive devant une sorte de terrain vague, au bord du fleuve où a été aménagé un enclos avec de hauts grillages. Les animaux, presque tous des chiens, sont parqués là, les gros séparés des petits par une palissade, pour éviter sans doute les batailles. Ces pauvres bêtes maigres et hirsutes font pitié. Elles ne songent pas à se battre et au contraire promènent le long des grilles un regard inquiet et lamentable. Des gens vont et viennent, devant les cages, de vieilles dames surtout, qui prononcent des noms... des noms qui restent sans écho.

Moi, j'ai déjà vu que Kafi n'est pas là. Il n'y a d'ailleurs qu'un seul chien-loup, moins grand et moins beau que le mien. Un gardien passe ; je lui parle de Kafi, lui fait son portrait.

— Un beau chien, avec le bout des pattes roux comme le feu.

Le gardien secoue la tête.

— Non, je ne l'ai pas vu... D'ailleurs nous n'avons pas souvent de chiens-loups, ce sont des animaux intelligents, ils retrouvent facilement leur maison.

Le cœur serré, je demande encore combien de temps la fourrière garde les bêtes que personne ne réclame.

— Ça dépend, fait le gardien ; le règlement prévoit quinze jours, mais quand ils ne sont pas trop nombreux, comme en ce moment, par exemple, on prolonge un peu.

Et, malgré moi, je ne peux m'empêcher de poser la même question qu'au chauffeur du camion :

— Et après, on en fait quoi ?

Le gardien hausse les épaules.

— Après... eh bien, que veux-tu, mon petit gars, on ne peut pas les nourrir éternellement, ça coûte cher... Il faut bien s'en débarrasser...

Je n'ose pas demander de quelle façon, mais l'idée que les malheureuses bêtes réunies là vont mourir me serre le cœur.

— On reviendra... affirment Gnafron et Corget.

Nous rentrons à la Croix-Rousse sans dire un mot.

Plusieurs jours passent. Comme convenu, presque chaque soir, nous descendons sur

les quais du Rhône et de la Saône. J'ai tant parlé de mon chien, et donné de si nombreux détails, que mes amis sont certains de le reconnaître si, un jour, ils le rencontrent. À plusieurs reprises, ils croient l'apercevoir, mais le chien n'a pas répondu à l'appel de son nom ; ce n'est pas Kafi.

En classe, Corget a repris son air des premiers jours, parlant peu, ne s'occupant pas de moi. Un matin, pourtant, à sa façon de me regarder, je comprends qu'il a appris quelque chose. À la récréation, il sort de sa poche un vieux journal qu'il ouvre à la deuxième page devant les « Gros-Caillou » réunis.

— Écoutez ça !

Il lit :

— *Cambriolage rue des Rouettes.*

« La nuit dernière, d'audacieux malfaiteurs se sont introduits dans un appartement situé au troisième étage d'un immeuble portant le numéro 4 de la rue des Rouettes. En l'absence de la locataire, actuellement en vacances sur la Côte d'Azur, il est impossible d'évaluer le montant du vol, sans doute très important. D'après des témoignages, le cambriolage n'aurait pu avoir lieu que très tard dans la nuit, entre quatre heures et sept heures du matin. »

Corget s'arrête et nous regarde.

— Voilà, conclut-il. Ça ne vous dit rien ?...

Non, à moi cet article ne dit rien. Quel rapport avec la disparition de Kafi ? Mais un autre « Gros-Caillou » remarque :

— La rue des Rouettes ?... Elle ne se trouverait pas derrière le quai Saint-Vincent ?

— Exactement !... Et regardez la date du journal : 29 novembre !

29 novembre ! Le lendemain du jour où Kafi a disparu. Mon cœur se met à battre. La coïncidence est troublante. Même jour, même quartier, même heure !

— Bien sûr, fait Corget, ça ne veut pas dire grand-chose. Mais tout de même, quand mes yeux sont tombés sur cet article en froissant ce vieux journal pour allumer le feu, j'ai immédiatement pensé à Kafi.

Les « Gros-Caillou » sont unanimes. Le soir même, nous irons faire un tour dans cette rue des Rouettes. Toute la journée, je me demande si je dois me réjouir de cette découverte.

— On ne sait jamais, me répète Corget, il faut d'abord aller voir.

Les jours sont devenus si courts, et le ciel demeure si bas, qu'il fait déjà nuit quand on débouche sur le quai. La bande du Gros-Caillou est au complet. Corget ne s'est pas trompé, la rue des Rouettes se trouve près du

quai Saint-Vincent, parallèle à la Saône, comme lui, et à cent mètres, à peine, des Entrepôts du Sud-Est. C'est une voie tranquille, peu animée, pas très large, bordée de maisons anciennes, des maisons bourgeoises d'autrefois, pour la plupart, mais en assez mauvais état. L'une d'elles pourtant, celle qui porte le numéro 4, avec sa façade refaite, paraît presque neuve. Postés sur le trottoir d'en face, nous levons les yeux vers le troisième étage, là où a eu lieu le cambriolage. Évidemment, il n'y a rien à voir.

— On pourrait demander à la gardienne, propose un « Gros-Caillou ».

— Lui demander quoi ?

— C'est peut-être elle qui a expliqué à la police que le vol devait avoir eu lieu entre quatre heures et sept heures du matin... elle a pu voir les cambrioleurs se sauver, apercevoir un chien !...

On se hasarde dans le couloir. À notre vue, la gardienne se met en colère, ne nous laissant pas finir nos questions. Elle n'a rien vu, ni voleurs ni chien, et elle en a assez de toute cette histoire.

Nous nous retrouvons dans la rue, penauds et déçus.

— De toute façon, déclare Corget, les voleurs ne sont pas venus jusqu'ici en voiture ; c'était

trop dangereux pour eux. Dans des petites rues comme celle-là, un ronflement de moteur s'entend et se remarque, surtout la nuit.

— Probable, approuve Gnafron, leur voiture, ils l'ont plutôt laissée sur le quai avec quelqu'un dedans pour donner l'alarme.

Corget nous entraîne sur le quai.

— Vous voyez, dit-il, la voiture attendait peut-être là, près du café du *Petit Beaujolais*; l'homme aurait pu voir Kafi attaché dans le renfoncement.

Oui, c'est possible ; mais pourquoi aurait-il détaché Kafi ? En général, les chiens-loups ne se laissent pas approcher par n'importe qui. L'homme aurait pu supposer que Kafi était méchant... A-t-il aperçu le papier posé sur la petite table de fer? De toute façon, cela ne change pas grand-chose pour moi. Kafi est bien perdu, pour toujours sans doute.

Mais Corget s'entête. Après tout, pourquoi ne pas se renseigner auprès de la police ?

La police ! Ce mot m'effraie. Je ne suis pas encore habitué aux agents. Leur uniforme m'intimide. À Reillanette, bien sûr, il n'y a pas de policiers, seulement le vieux garde-champêtre qui, lui, est un homme comme les autres, simplement chargé de coller les affiches. Alors que les agents... !

— Si, acquiesce Gnafron, le plus petit de la bande mais le plus décidé, il faut y aller... pas tous ensemble. Je les connais, moi, les agents, ils n'aiment pas les gamins de Lyon, les « gones » comme on nous appelle, ils nous flanqueraient à la porte. Trois seulement : Tidou, Corget et moi.

Justement, il connaît un commissariat, pas très loin, près de la place des Terreaux, une belle place de Lyon avec sa grande fontaine et ses pigeons. Tout le long du chemin, je suis si impressionné que je marche le dernier. Devant la porte, j'hésite.

— Ils ne vont pas nous manger, plaisante Gnafron. Quand même, les cambrioleurs, ce n'est pas nous !

On pousse une porte. Nous nous trouvons dans une salle pleine d'uniformes. Les agents nous regardent d'un air plutôt moqueur.

— Tiens, fait l'un d'eux, encore des gamins qui ont perdu leur portefeuille avec vingt-cinq centimes dedans...

— Non, pas un portefeuille, rectifie gravement Gnafron, un chien... son chien à lui, un beau chien-loup qui a disparu la nuit du cambriolage de la rue des Rouettes.

Les policiers s'esclaffent.

— Quel rapport ?

Désemparé par le ton de l'agent, Gnafron se tait. Corget reprend :

— J'ai encore le journal ; regardez, le vol a eu lieu entre quatre heures et sept heures du matin, tout près du quai Saint-Vincent ; à ce moment-là, le chien était attaché près du *Petit Beaujolais*, en attendant que lui, Tidou, vienne le chercher.

— Et alors, qu'est-ce que ça prouve ?

Corget se tait à son tour, mais le petit Gnafron, lui, a retrouvé son aplomb. Très vite, de peur qu'on ne l'écoute pas, il raconte l'aventure de Kafi.

— C'est bon, c'est bon, font les agents, cette histoire à dormir debout ne nous intéresse pas. Vous vous imaginez peut-être qu'on va mobiliser toute la police de Lyon pour une simple affaire de chien... D'ailleurs, de toute façon, à quoi ça vous avancerait, puisque les cambrioleurs de la rue des Rouettes courent toujours ? Allez, dehors !... filez !

Nous nous retrouvons dans la rue.

— Tous les mêmes, les policiers, fait Gnafron en soupirant, ils ne comprennent jamais rien.

C'est fini, l'espoir suscité ce matin par Corget vient de s'éteindre.

chapitre 9

Un chien qui ressemble à Kafi

Les semaines passent, de longues semaines froides et humides. Au collège, les « Gros-Caillou » ont repris leurs habitudes. Leur déception est grande, mais elle ne ressemble pas à la mienne. Eux n'ont pas connu Kafi ; ce n'est pas la même chose. Ils peuvent oublier, se consoler, moi non. Il m'arrive à nouveau de me sentir un étranger parmi eux.

— Mon pauvre Tidou, me dit parfois maman, tu n'es plus comme avant : c'est le soleil de Reillanette qui te manque ?

Elle parle de soleil ; je vois bien qu'elle pense à autre chose, à Kafi, qu'elle croit toujours là-bas.

On est début décembre. Au lieu de jouer sur le boulevard ou de se réunir sur le Toit aux Canuts, les « Gros-Caillou » préfèrent, maintenant, descendre en ville, sur la place des Terreaux, près du théâtre, se coller le nez aux devantures des magasins déjà illuminées pour les fêtes de fin d'année.

— Allez, Tidou, viens ! insistent-ils.

Je descends plusieurs fois avec eux, mais les magasins ne m'attirent pas, je ne regarde que les trottoirs et les rares chiens qu'on promène. Le jeudi ou le dimanche, quand il ne fait pas trop froid, je préfère retourner à la fourrière. J'y reviens même si souvent que le gardien, pris de pitié, me promet de m'écrire si un jour on lui amène un chien-loup qui a le bout des pattes roux et ressemble à Kafi. Je le remercie très fort et lui donne l'adresse de Gnafron.

Pendant quelques jours, je suis rassuré. Chaque matin, au collège, j'attends avec impatience l'arrivée de Gnafron. Puis, peu à peu, ne recevant rien, je pense que le gardien a peut-être oublié sa promesse ou qu'il est malade... ou qu'il a été remplacé... et je retourne à la fourrière. Le gardien est là... mais pas Kafi.

Au début janvier, il fait si froid que la Saône gèle et qu'on voit des glaçons flotter sur le

Rhône. La bande du Gros-Caillou se disperse. Beaucoup restent chez eux, le soir, ou se réchauffent, sur les trottoirs du boulevard, en donnant des coups de pied dans leur ballon. Enfin, au bout d'une quinzaine, le temps se radoucit. Les jours sont déjà plus longs. Nous recommençons à descendre sur les quais où les gens promènent de nouveau leurs chiens.

Un jour, j'ai une grande émotion. Un « Gros-Caillou » arrive un matin au collège, en disant que la veille, à la tombée de la nuit, en revenant de chez sa tante, à l'autre bout de la Croix-Rousse, il s'est trouvé tout à coup face à face avec un chien-loup exactement comme Kafi. Il l'a appelé par son nom, le chien a aussitôt dressé les oreilles ; il s'est même approché.

— Mais ses pattes, tu as vu le bout de ses pattes ?

— Il faisait presque nuit, je n'ai pas très bien distingué... je suis quand même sûr que c'était lui.

— Pourquoi tu n'as pas essayé de l'amener ?

— Je n'ai pas pu le prendre, quand j'ai voulu le caresser, il s'est sauvé... mais tu peux me croire, c'était lui, il était seulement plus maigre, ça n'a rien d'étonnant depuis le temps qu'il traîne dans les rues.

— Et c'était où ?

— La rue des Hautes-Buttes, près du funiculaire de la Croix-Paquet...

Le « Gros-Caillou » est si sûr de lui que, le soir même, il veut me conduire dans la rue des Hautes-Buttes.

— C'est là, explique-t-il, je dégringolais cette pente, quand je l'ai aperçu, qui flairait le trottoir. Je suis sûr qu'il reviendra.

Nous attendons longtemps, jusqu'à la tombée de la nuit ; le chien ne reparaît pas. Malgré tout, la petite lueur d'espoir qui ne s'est jamais éteinte complètement se rallume. Je reviens le lendemain et le surlendemain encore. Je sais que les chiens perdus rôdent longtemps au même endroit, retenus par quelque chose qu'ils croient reconnaître. Cette rue des Hautes-Buttes ressemble à la mienne, avec ces mêmes grandes bâtisses qui, de loin, le jour de mon arrivée à Lyon, me sont apparues sous forme de gros cubes entassés les uns sur les autres. Je vais et viens, d'un bout à l'autre puis, fatigué, je m'assois sur une marche, mon sac de cours sous moi, pour me préserver du froid.

Mais, au début de la semaine suivante, le temps change de nouveau brusquement. Un matin, la grande ville s'éveille toute blanche de neige. Cela me rend triste mais,

brusquement, je pense que, dans la neige, les traces de pattes pourront se voir. Après le collège, je cours vers la rue des Hautes-Buttes. Je piétine dans la neige qui n'a pas encore été enlevée, à la recherche d'empreintes puis, fatigué, je m'adosse à un mur, car il fait trop froid pour s'asseoir sur une marche. Déjà huit jours que je suis venu pour la première fois ! Les chances de retrouver Kafi diminuent. Le « Gros-Caillou » a dû se tromper. Je pense qu'il est inutile de revenir.

Pourtant, je reste contre le mur qui me glace le dos, les pieds dans la neige.

— Tu ferais mieux de rentrer chez toi au chaud, me lance une vieille femme qui passe, un cabas à la main.

Je ne bouge pas, sentant pourtant que j'ai froid, mais n'ayant pas envie de remuer pour me réchauffer. Je n'attends plus rien mais j'espère quand même. Puis, tout à coup, je frissonne, pendant quelques secondes les maisons de la rue semblent basculer. Mes yeux se brouillent. En élevant la main pour les frotter, je sens vaguement que mon corps perd l'équilibre. Cela fait un grand choc dans ma tête, puis plus rien.

Quand je rouvre les yeux, quelqu'un me soulève.

— Eh alors, que faisais-tu dans cette neige ?... Tu ne t'es pas fait mal ?...

Je regarde la femme penchée sur moi.

— Le chien ?... Il est venu ?

— Quel chien ?

— Kafi !

La femme croit que je ne sais plus ce que je dis. Elle m'aide à me relever.

— Tu ne peux pas rentrer chez toi dans cet état, viens boire quelque chose de chaud.

Encore chancelant, je la suis. Elle habite à côté, au quatrième étage d'une de ces grandes maisons grises. J'ai beaucoup de mal à gravir les marches. En entrant, après le froid du dehors, la chaleur me saisit. Mon sang reflue à mon visage. Je me sens tout à coup honteux de ce qui m'est arrivé et veux redescendre.

— Non, attends ! Juste une tasse de tisane, bien chaude.

Pendant qu'elle fait bouillir de l'eau, sur la cuisinière à gaz, je regarde cette cuisine, pareille à la nôtre, plus pauvre même, avec ses chaises dépaillées.

— Ce n'est pas la première fois que je te vois dans la rue. Que viens-tu faire dans ce quartier ?... Attendre un ami ?

Je secoue la tête.

— Je cherche un chien que j'ai perdu... un chien-loup... Oh ! dites, madame, vous l'avez vu ?... Un ami est sûr de l'avoir aperçu, la semaine dernière.

— Je n'ai rien vu... ni mon mari ; pourtant nous descendons souvent. Comment était-il ?

— Un beau chien-loup avec le bout des pattes roux.

— Il y a longtemps que tu l'as perdu ?

Je vais lui expliquer comment il a disparu quand une petite voix appelle, de l'autre côté de la cloison.

— Qui est là, maman ?

La femme entrebâille la porte.

— Ce n'est rien, Mady, un « gone » qui a pris froid dans la rue et que j'ai fait monter pour lui donner une tisane. Il cherchait son chien.

Elle referme la porte, doucement ; mais presque aussitôt, la voix appelle de nouveau :

— Est-ce que je pourrais le voir ?

La femme hésite. Elle me regarde, puis regarde la porte. Elle a un petit soupir triste ; cela l'ennuie peut-être ou bien elle est gênée à cause de la maison un peu en désordre ? Pourtant je devine qu'il y a autre chose.

— Oh ! si, maman, insiste la petite voix, fais-le entrer !

Alors, la mère me fait signe d'approcher. Sur le seuil de la porte, je reste immobile. Une fille de mon âge, allongée sur une chaise longue, la tête à peine relevée par un coussin, tourne vers moi un visage très pâle dans lequel les grands yeux sombres tiennent toute la place.

— Elle est malade, dit la mère à mi-voix, elle ne peut pas se lever, elle doit rester toute la journée allongée sur cette chaise.

Je m'avance, très intimidé. La fille, au contraire, semble heureuse de voir quelqu'un.

— Oh ! tu as perdu un chien ! Tu dois être triste ! Moi, je n'ai jamais eu la chance d'en avoir un, mais je les adore. À l'automne, quand papa me conduisait au parc, j'emportais toujours quelques morceaux de sucre pour donner aux chiens que je rencontrais... Comment s'appelait le tien ?

— Kafi.

— Oh ! c'est un nom étrange !

— C'était un grand chien-loup, j'y tenais beaucoup, c'est moi qui l'avais élevé.

— Assieds-toi là, sur cette chaise et parle-moi de lui... Comment tu l'as perdu ?

Après m'avoir fait boire une grande tasse de tisane, la mère de la jeune malade est repartie dans la cuisine préparer le dîner,

sans doute. Je m'assois sur la chaise, pousse un soupir. L'histoire de Kafi ?... Elle est si longue, et à quoi bon, maintenant, puisque c'est fini. Mais la fille soulève la tête, sur son coussin, pour m'écouter.

— Allez, raconte !

Alors, je commence à parler de mon chien. D'abord je crois que je vais l'ennuyer ; elle ne connaît pas Kafi, ne le connaîtra jamais ; est-ce que tout cela peut vraiment l'intéresser ? Mais elle semble écouter avec tant d'attention que je continue. Bientôt, je me mets à revivre notre vie, à Kafi et à moi, comme si j'étais encore à Reillanette, ou s'il était là, accroupi, au pied de la chaise longue, la tête penchée, essayant de comprendre, dans sa bonne tête de chien, ce que je dis.

Quand j'ai fini, il y a un long silence, je vois que des larmes coulent sur les joues de la jeune malade. Elle tend la main pour prendre la mienne.

— Pauvre Kafi ! murmure-t-elle. Oh ! tu le retrouveras, je suis sûre que tu le retrouveras.

Je souris tristement, sans répondre... puis, tout à coup, tournant les yeux vers la fenêtre, je vois qu'il fait nuit dehors. Maman va encore s'inquiéter ; il faut que je rentre.

— Déjà ! s'exclame la fille. Mais tu reviendras ? Tu me parleras encore de Kafi.

En quittant sa chambre, je suis bouleversé : elle a compris, partagé ma peine. Ses yeux ont brillé d'une telle façon, quand elle a dit : « Je suis sûre que tu le retrouveras », que je la crois. Oh ! bien sûr, les « Gros-Caillou » m'ont déjà dit cela mais, sur ses lèvres à elle, ces mots prennent un autre sens. Non, une voix si pure ne peut pas se tromper...

chapitre 10

Mady

Le lendemain soir, je ne reviens pas dans la rue des Hautes-Buttes. Ma mère a besoin de moi pour garder mon petit frère pendant qu'elle ira voir une dame qui, lui a-t-on dit à l'épicerie, cherche une femme de ménage. En effet, la vie est difficile à Lyon. Chaque quinzaine, le salaire de mon père est meilleur qu'à Reillanette, mais le loyer beaucoup plus élevé que là-bas. De plus, dans cette région froide et humide, se chauffer coûte très cher... et plus de jardin pour fournir les légumes. Maman a donc décidé de faire quelques heures de ménage, l'après-midi, pendant que Géo ira à la maternelle.

Ce soir-là me paraît bien long. Je n'ai plus aucun espoir de rencontrer Kafi dans cette rue des Hautes-Buttes, mais je pense à la jeune malade. J'ai envie de la revoir, de lui parler encore de mon chien, de Reillanette... et je suis sûr qu'elle aussi sera contente de me retrouver.

Le lendemain, heureusement, je suis libre.

— Allez, me fait maman en souriant, va retrouver tes « Gros-Caillou », tu en meurs d'envie.

Avant de partir, je lui demande la permission d'emporter quelques-unes des photos rangées dans la boîte en bois d'olivier.

— Encore ? dit-elle, étonnée. Tu les leur as déjà montrées !...

Je rougis.

— Maman... ce n'est pas pour les « Gros-Caillou ».

J'explique timidement que, l'autre soir, dans une vieille rue de la Croix-Rousse, j'ai fait la connaissance d'une fille de mon âge, malade, qui s'ennuie. J'ai promis de revenir la voir.

— Tu veux bien que j'y retourne, maman ?

Mes yeux suppliants et brillants lui montrent ma joie. Ils sont si souvent tristes, mes yeux, depuis mon arrivée à Lyon.

— D'accord, Tidou ! D'ailleurs, par ce mauvais temps, j'aime mieux te savoir au chaud que traînant dans les rues. Ne rentre pas trop tard.

Les photos dans ma poche, je me sauve. Je suis si essoufflé en arrivant rue des Hautes-Buttes que je dois m'arrêter deux fois en grimpant l'escalier. Mais, tout à coup, au moment de frapper, je demeure figé. Je me suis peut-être fait des idées... elle ne pense plus à moi... ou bien sa mère, comme je l'ai remarqué l'autre soir, sera peut-être gênée.

Timidement, je donne trois petits coups. La porte s'ouvre ; la femme qui m'a relevé dans la neige est devant moi, et elle sourit.

— Ah ! Te voilà !... Entre !

Je pénètre dans la cuisine, minuscule, mais bien chaude. Aussitôt, de la chambre, la voix fluette appelle :

— Maman ! Qui c'est ?

— C'est lui !

Elle m'attend bien ! Sans hésitation, cette fois, la mère pousse la porte de la chambre. La malade est étendue sur sa chaise longue, exactement comme si elle ne l'avait pas quittée depuis l'autre soir.

— Je t'ai attendu hier, toute la soirée... J'ai cru que tu ne viendrais plus.

Elle sourit; je comprends que, vraiment, elle est très heureuse de me revoir. Je lui explique pourquoi je suis resté à la maison, la veille.

— Quand tu es parti, fait-elle, je me suis aperçue que tu ne m'avais même pas dit ton nom... Moi, je m'appelle Mady... Et toi?

— Chez nous, tout le monde m'appelle Tidou.

— Tidou, reprit-elle, à Lyon je ne connais personne qui s'appelle Tidou.

Elle me fait signe de m'asseoir.

— Là, de ce côté, pour que je te voie mieux, je n'ai pas le droit de me redresser plus.

Je m'assois, près d'elle, plus près que l'autre soir, toujours très impressionné devant ce petit corps étendu. L'autre jour, je ne lui ai pas parlé de sa maladie. Timidement, je demande :

— Tu as mal?...

— Oh ! non, pas du tout... enfin, seulement quand je bouge... là, à la hanche droite, dans l'os.

— Ça fait longtemps que tu es malade?

— Depuis cet été. Les derniers jours, avant les vacances, j'avais déjà très mal en allant au collège. Le docteur a dit que ce serait long, très long...

— Tu ne sors jamais ?

Elle sourit doucement.

— Impossible... puisqu'il ne faut pas que je bouge !

— Tes amies ne viennent pas te voir ?

— Si, au début, elles venaient souvent, presque chaque jour... Et puis elles ont perdu l'habitude, quand je suis partie, en octobre...

— Partie ?... Tu as quitté Lyon ?

Elle baisse la tête, hésite.

— Le docteur avait dit qu'il me fallait du soleil, beaucoup de soleil... On m'a envoyée dans une sorte d'hôpital, dans le Midi, une grande maison pleine de malades... je n'ai pas pu m'y habituer. C'est mal, je sais ; maman m'a toujours gâtée ; elle est très gentille. Je m'ennuyais, sans elle ; pourtant, j'aime bien la campagne, les arbres, les champs, les bêtes... mais la campagne, quand on ne peut pas marcher, ce n'est pas la même chose, tu sais. J'étais triste, je ne mangeais plus. Au bout de trois semaines, j'ai demandé qu'on vienne me chercher.

Et, pour s'excuser, elle lève les yeux vers la fenêtre.

— D'ailleurs, ici aussi il y a du soleil... pas aujourd'hui, bien sûr, mais quand le temps est clair, le soleil entre dans ma chambre et

vient jusque sur ma chaise longue... C'est une chance qu'on ait abattu cette vieille maison, en face, qui nous barrait la vue. On dirait qu'on l'a fait exprès pour moi. Tiens, va regarder par la fenêtre.

Je me lève. La vue doit, en effet, être très étendue. Mais, dans le soir tombant, le ciel et le blanc de la neige, sur les toits, se confondent dans une grisaille uniforme.

— C'est très beau d'habitude, insiste-t-elle, en face on aperçoit les gratte-ciel de Villeurbanne et derrière, plus loin, beaucoup plus loin, les montagnes. Le mois dernier, un matin, j'ai même aperçu le mont Blanc.

Elle s'anime, heureuse de parler de sa ville, tout comme Corget, l'autre soir, sur le Toit aux Canuts. Elle l'aime et la trouve belle. Peut-être qu'un jour je la trouverai belle moi aussi; pour l'instant, elle est celle qui m'a pris Kafi.

Je ne dis rien, le front appuyé sur la vitre, elle devine que je pense à mon chien.

— C'est vrai, fait-elle, toi, tu ne peux pas l'aimer... pas encore, seulement quand tu auras retrouvé Kafi... J'ai beaucoup pensé à lui, tu sais, depuis avant-hier, j'ai même rêvé que je le rencontrais dans une petite rue en pente, très étroite, pas une rue de

la Croix-Rousse, d'un autre quartier, je ne sais pas où. Je l'appelais et il venait se frotter contre moi et je n'avais pas peur du tout... pourtant j'ai peur des gros chiens. S'il te plaît, Tidou, parle-moi encore de lui.

Je reviens m'asseoir près d'elle et sors de ma poche les petites photos choisies dans la boîte en bois d'olivier. Ce sont des photos de Reillanette, prises l'année précédente par des Parisiens en vacances ; elles montrent notre maison, avec sa grande frise provençale, mes parents assis sur le banc du jardin, maman tenant mon petit frère Géo sur ses genoux. Deux ou trois autres ont été prises dans la campagne, malheureusement Kafi est toujours absent, parce qu'il a peur des appareils photo. On ne le voit que sur une image, avec moi, près de la rivière, mais au dernier moment, il a bougé et sa tête est floue.

— Il est tellement gros et beau ! s'exclame Mady. C'est vrai qu'il me ferait peur.

— Oh ! non, j'en suis sûr, vous auriez été tout de suite amis.

Et me voilà reparti à reparler de mon chien, de Reillanette. Mady m'écoute avec la même attention que l'autre soir, ses yeux brillent de la même émotion. Je raconte nos

escapades dans les vignes, nos escalades dans les rochers, nos courses à travers champs.

Mais, tout à coup, j'ai honte de dire tout cela devant elle, qui ne peut pas marcher. Je crois qu'à nouveau elle comprend pourquoi je me tais, car elle fait vivement :

— Continue, j'ai l'impression de courir avec toi, avec Kafi... Tu sais, ça ne me rend pas triste de ne plus pouvoir marcher, je suis habituée maintenant.

Elle sourit, d'un sourire qui reste quand même un peu voilé. Je lui demande :

— Depuis que tu es rentrée, en octobre, tu n'as plus jamais quitté la maison ?

— Jamais...

— Le docteur ne permettrait pas qu'on te promène, dehors, dans une chaise roulante ? Ça existe.

— Mais comment ? D'abord, ces fauteuils doivent coûter très cher... et puis papa n'est pas souvent là : qui me descendrait du quatrième étage et qui me pousserait dans ces rues qui montent ?... Non, je t'assure, je ne m'ennuie pas.

Et elle ajoute, souriant de nouveau :

— Surtout quand on vient me voir.

C'est une façon de me demander de revenir. Cela ne m'ennuie pas, au contraire ;

jamais, depuis la disparition de Kafi, personne ne m'a aidé aussi bien qu'elle, à me faire croire qu'il n'est pas perdu pour toujours.

Lorsque, comme l'autre soir, voyant la nuit tomber sur la ville, je me lève pour partir, Mady soupire :

— Oh ! déjà !

Je prends sa main dans la mienne, la serre longtemps.

— Je reviendrai, Mady... je reviendrai souvent... et un jour, je t'amènerai Kafi.

Je dis cela en riant, mais elle a réellement produit ce miracle : me faire croire, même si je dois attendre des semaines, des mois, des années, que mon chien reviendra...

chapitre 11

Le « carrosse »

Je reviens presque chaque soir voir Mady. Les deux heures que je passe près de sa chaise longue m'aident à oublier mon chagrin.

Grâce à elle, le collège me paraît moins laid et même, un soir, en passant avec Corget sur le Toit aux Canuts, je trouve presque belle la vue sur la ville.

Pourtant, quelque chose me tracasse. Je sors moins souvent avec les « Gros-Caillou ». Ils pensent peut-être que je les méprise à mon tour, malgré tout ce qu'ils ont fait pour m'aider à retrouver Kafi. Comment leur expliquer ?

Un matin, je décide de parler à Corget. C'est difficile à dire. Mon ami me regarde

d'un air bizarre et sourit, d'un petit sourire qui en dit long.

— Une fille?... Moi, je n'aime pas les filles... Je préfère les chiens, ils ne bavardent pas et ne nous agacent pas tout le temps.

— Celle-là est gentille.

— Ça m'étonnerait.

— Et puis elle est malade, toujours allongée.

— Peut-être... mais c'est une fille.

— Tu devrais venir la voir, un soir, avec moi... ça lui ferait plaisir, elle s'ennuie, toujours toute seule.

— Et ses amies à elle, elles ne viennent pas?

— Pas souvent, ça fait trop longtemps qu'elle est malade. Alors, tu viendras?

Il ne répond pas mais, deux jours plus tard, quand je lui demande de m'accompagner, il me suit.

Nous restons un long moment, assis près de la chaise longue de la jeune malade. Mady est heureuse que je lui amène un nouveau compagnon, qui n'est pas réellement nouveau pour elle puisque je lui en ai souvent parlé. Tout de suite, il est question de Kafi. Pour Corget, Mady raconte encore son rêve de l'autre nuit.

— Maintenant, fait-elle, je vois très bien l'endroit où je l'ai rencontré. Ce ne peut être que du côté de la colline de Fourvière, dans ces petites rues qui montent, comme à la Croix-Rousse... Vous ne croyez peut-être pas aux rêves ?... Vous verrez. C'est là-bas qu'on le retrouvera.

Elle dit « on » comme si vraiment elle pouvait nous aider, elle qui ne sort jamais, et elle sourit, pleine de confiance. Pourtant, je lui ai tout dit de Kafi, elle sait bien qu'il ne nous reste presque aucune chance.

Quand nous quittons la rue des Hautes-Buttes, Corget et moi, nous marchons un long moment en silence ; puis mon ami s'arrête.

— Tu as raison, Tidou, elle n'est pas comme les autres... et puis quand elle parle de Kafi, on dirait qu'elle l'aime autant que nous, autant que toi... Tu crois qu'elle serait contente si je revenais ?

— Bien sûr, et les autres « Gros-Caillou » aussi.

Nous continuons notre chemin à travers les rues étroites. Je vois que Corget réfléchit. Quand quelque chose le préoccupe, il passe toujours deux doigts dans le col de sa chemise comme si elle le gênait. Il s'arrête de nouveau.

— Ce n'est pas drôle, de rester toute la journée comme ça, sans bouger, sur une chaise longue. Tu ne crois pas que, si elle pouvait sortir... ?

Mon cœur se met à battre. J'en suis sûr, Corget a eu la même idée que moi. Je lui prends le bras.

— Tu veux dire que, peut-être, on pourrait...?

Il sourit.

— Oui, peut-être. Demain on verra ça, avec les autres.

Pour ne pas en dire plus, il se sauve. Mais le lendemain, comme la première fois lorsque je lui ai parlé de Kafi, il n'a pas oublié.

— Ça va être difficile, me dit-il simplement.

À la récréation, nous retrouvons les autres « Gros-Caillou » sous le préau.

— Voilà, fait Corget, si Tidou sort moins souvent avec nous depuis quelque temps, je sais pourquoi... c'est à cause d'une fille... une fille qu'il a rencontrée un soir, pendant qu'il cherchait Kafi dans la rue des Hautes-Buttes. Tidou a voulu m'emmener la voir. Moi, je ne voulais pas ; je n'aime pas les filles... mais celle-là, elle n'est pas comme les autres.

Il est embarrassé pour expliquer cette visite et parle par petits bouts de phrases. Une voix l'interrompt.

— Je vois où vous voulez en venir... mais c'est la règle, tu la connais comme nous, toi, Corget : pas de filles dans la bande du Gros-Caillou.

C'est le Tondu qui a parlé, un « Gros-Caillou » surnommé ainsi parce qu'il est chauve. Tout petit, une maladie inconnue a fait tomber ses cheveux qui, depuis, n'ont pas repoussé. Il ne quitte jamais son bonnet, même en classe ; le maître le lui permet. Il déteste les filles qui se moquent de son crâne lisse comme une boule de billard.

— Tais-toi ! coupe Corget. Je vous dis que ce n'est pas une fille comme les autres ; elle est malade, elle ne peut pas marcher, à cause de sa hanche qui lui fait trop mal ; le docteur a dit qu'elle ne serait pas guérie avant des mois et des mois... Alors, Tidou et moi, on a pensé qu'on pourrait peut-être faire quelque chose pour elle...

— Quoi ?

— Si elle ne sort jamais, ce n'est pas qu'on le lui interdit... mais elle habite au quatrième étage et sa rue grimpe presque autant que la Grande-Côte... On pourrait, peut-être fabriquer une sorte de charriot à roues pour la balader quand il fera beau, bientôt ?... Et en la baladant, ce sera l'occasion de chercher Kafi.

— Bien sûr, admet le Tondu en hochant la tête, ce n'est pas drôle, pour elle, d'être enfermée, surtout quand il fera beau... mais c'est une fille !

— C'est bon, dit Corget, on n'en parle plus.

Et comme la cloche vient de sonner, les « Gros-Caillou » se dispersent.

— Tu as vu, fait Corget quand nous nous retrouvons côte à côte sur notre banc... Pourtant, tous les deux seuls, ce n'est pas possible, avec ces rues qui montent, il faudrait être nombreux pour la pousser.

Je suis encore plus ennuyé que lui, mais après le déjeuner, alors que nous arrivons ensemble devant le collège, tout le reste de la bande du Gros-Caillou nous attend.

— Écoutez, dit le Tondu, on a réfléchi... on ne dit pas non, mais il faudrait d'abord qu'on la connaisse.

Je souris ; quand ils l'auront vue, je suis sûr qu'ils accepteront. Le soir même, toute la bande du Gros-Caillou, au complet, débouche dans la rue des Hautes-Buttes et monte à l'assaut du quatrième étage de la maison de Mady. Après une dernière hésitation, le Tondu a suivi, mais de nouveau inquiet, il reste en arrière, pour se cacher... sans succès, car il est le plus grand de tous.

Malgré nos précautions, nous avons fait du bruit dans l'escalier. En arrivant au quatrième étage, je n'ai pas le temps de frapper. La porte s'est déjà ouverte.

— Que se passe-t-il ?! s'écrie la mère de Mady en voyant tous ces « gones ».

J'explique vivement que ce sont mes amis de la bande du Gros-Caillou ; je leur ai parlé de Mady, ils veulent la voir.

Effrayée par cette invasion, elle lève les bras ; sa maison est si petite ! Mais elle ne nous renvoie pas. Alors, montrant le chemin, je traverse la minuscule cuisine.

— Mady, n'aie pas peur... ce sont les « Gros-Caillou » !

Devant tous ces garçons qui l'entourent et, timidement, se haussent les uns derrière les autres pour l'apercevoir, elle rougit, mais très vite, elle retrouve son sourire.

— Oh ! fait-elle, je vous connais presque tous ! Tidou m'a souvent parlé de vous. Je suis tellement heureuse que vous l'ayez aidé à rechercher Kafi... Si seulement je pouvais vous aider, moi aussi !

Elle s'anime en parlant, pour cacher son émotion, mais je sens qu'elle est heureuse... surtout que, tout de suite, les « Gros-Caillou » se sont sentis à l'aise, devant elle, comme

avec une sœur. Alors, on parle de Kafi, de sa maladie à elle, des jours qui s'allongent, le soir.

— C'est vrai, fait-elle, de ma chambre je vois beaucoup de choses, je sais que le printemps n'est plus très loin, là-bas; le long des quais on dirait que les arbres changent déjà de couleur...

Quand, une demi-heure plus tard, la bande se retrouve dans la rue, tout le monde est d'accord, même le Tondu qui, le premier, déclare :

— C'est une fille, d'accord... mais, je le reconnais, pas comme les autres... Il faut faire quelque chose pour elle !

Et, sans s'être concertés, nous partons vers le sous-sol de la Rampe des Pirates, devenu notre lieu secret de rendez-vous, pour faire des plans.

C'est simple, on fabriquera une sorte de chaise longue montée sur roues et, par équipes de trois ou quatre, on se relaiera pour promener Mady. Bien entendu, on ne parlera de rien jusqu'au jour où la machine sera prête. On me charge de demander à sa mère si elle permettra ces sorties, en lui faisant promettre de garder le secret.

La mère de Mady hésite un peu; toute cette bande de garçons l'a presque effrayée, mais

sa fille serait si contente... elle accepte. Alors, le travail commence. Repris par leur enthousiasme, les « Gros-Caillou » se démènent pour trouver le matériel nécessaire. En quelques jours notre caverne, comme nous appelons le sous-sol de la Rampe des Pirates, s'emplit à nouveau d'un véritable bric-à-brac. Pour les roues, rien de plus facile. Il y en a bientôt plus d'une douzaine ; des roues de poussettes, pour la plupart, des roues presque neuves mais un peu trop petites, des roues de bonnes dimensions mais au caoutchouc usé, des roues à pneus provenant de petites bicyclettes... Le plus difficile, bien entendu, est de trouver la chaise elle-même. Comme l'a expliqué la mère de Mady, cette chaise ne devra pas avoir de courbure, avec un dossier très incliné. On descend en ville, voir les magasins, pas pour en acheter une, bien sûr, c'est certainement trop cher, simplement pour voir comment elles sont faites. Aucune ne nous plaît. Mais le Tondu qui, maintenant, se montre le plus acharné, déniche, je ne sais où, une sorte de fauteuil en rotin, presque neuf, sur lequel on fixera un nouveau dossier mobile. Le plus délicat sera le système de direction des deux roues avant. Il faudra prévoir aussi deux freins, un pour celui qui poussera le fauteuil,

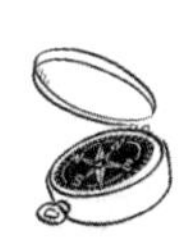

l'autre à portée de main de Mady, pour éviter tout accident au cas où on la laisserait seule un moment. Quant au matelas, la mère de Mady m'a prévenu ; nous l'aurions aimé souple et doux ; au contraire, il le faut pas trop épais et assez dur ; le docteur l'a dit.

Ce travail occupe nos soirées pendant plusieurs jours. Mais, c'est curieux, ni les autres « Gros-Caillou » ni moi n'avons l'impression d'oublier Kafi. Au contraire. En cherchant Kafi, j'ai rencontré Mady, il nous semble qu'en nous occupant de la jeune malade, nous travaillons aussi à retrouver mon chien... Et puis, Mady a si bien su nous redonner confiance.

Enfin la chaise est prête. Elle n'est peut-être pas très belle ni très harmonieuse, mais dans aucun magasin nous n'en aurions trouvé une mieux adaptée... et pour du solide, c'est du solide ! On décide de l'essayer, chacun son tour, dans la Grande-Côte, une rue qui descend du haut en bas de la Croix-Rousse. Deux fois, trois fois, l'étrange véhicule dévale la pente à toute vitesse, comme un bolide, mais à la quatrième, un policier siffle le Tondu et Gnafron, les menaçant d'une amende pour « gêne à la circulation avec un engin non réglementaire ».

Il ne nous reste plus qu'à attendre le premier beau jour. Par chance, il tombe un mercredi. On se donne rendez-vous, au début de l'après-midi, en bas de la Rampe des Pirates. De là, la voiture est roulée vers la rue des Hautes-Buttes. Comme pour l'arrivée de Kafi, tout a été prévu, organisé. Je monterai chez Mady avec Corget, Gnafron et le Tondu (le plus fort de la bande), pendant que les autres attendront en bas.

En frappant à la porte, je tremble d'émotion. La mère de Mady, pourtant prévenue, a les larmes aux yeux en nous ouvrant. Je m'avance le premier, tout embarrassé. Nous devons, tous les trois, faire une drôle de tête car, aussitôt, Mady s'écrie :

— Qu'est-ce que vous avez? Qu'est-ce qui vous est arrivé?... Et comment vous êtes habillés?

Il faut dire que pour cette fête (c'en est vraiment une pour nous), nous nous sommes mis sur notre trente et un. C'est moi qui dois parler. Ma gorge serrée ne laisse sortir aucun son. Alors, le petit Gnafron s'avance à ma place et, d'un air solennel qui le rend comique, déclare :

— Le carrosse de mademoiselle!...

Mady ouvre des yeux étonnés, ne comprenant toujours pas, mais au même moment,

de la cuisine, parviennent des sanglots étouffés. Sa mère n'a pu contenir son émotion.

— Oh ! Mady, s'écrie-t-elle en accourant... c'est une surprise, une belle surprise qu'ils ont voulu te faire... Ils t'ont construit un fauteuil roulant, ils viennent te chercher pour t'emmener en promenade !

— En promenade ?... Moi ?

Mady reste immobile comme si elle faisait un grand effort pour comprendre ce qu'elle a entendu. Puis deux larmes glissent de ses paupières. Enfin ses lèvres sourient ; tout son visage s'illumine.

— En promenade !... Je vais revoir les rues, les arbres !

Elle tend les bras vers nous et répète :

— En promenade !... C'est merveilleux !

Sa mère nous aide à la descendre. Le docteur lui a expliqué comment s'y prendre pour ne pas contrarier l'articulation malade.

Quand, à la dernière marche, Mady aperçoit la chaise roulante rangée le long du trottoir et, derrière, les « Gros-Caillou » alignés et bien peignés, les larmes lui montent encore aux yeux.

— Alors, c'est vrai, je vais me promener !...

On la dépose avec précaution sur sa chaise qu'elle trouve aussi confortable, même plus confortable, que celle de sa chambre.

— Quand je pense que vous ne m'aviez rien dit ! fait-elle en riant... Ah ! c'est pour ça que vous veniez moins souvent me voir ces derniers jours ; vous construisiez mon « carrosse » !

Alors, je me penche vers elle, lui demande où elle aimerait aller.

— Où j'aimerais aller ? reprend-elle.

Elle me regarde dans les yeux et sourit.

— Écoute, Tidou, pendant que vous étiez tous si occupés, moi j'ai encore beaucoup pensé à Kafi. Pour ma première sortie, j'aimerais voir l'endroit où tu l'as perdu : le quai Saint-Vincent...

chapitre 12

Un jour, au bord du Rhône...

Depuis ce jour, chaque fois qu'il fait beau, le soir, après le collège, nous venons chercher Mady pour sa promenade. Quand l'air est trop vif, elle s'enveloppe dans une couverture et met une cagoule qui ne laisse voir que le bout de son nez rougi par le froid. Son « carrosse » ne manque jamais de chevaux ; il a même fallu organiser un roulement, mais moi j'ai le privilège d'être de toutes les sorties et, pour rien au monde, je n'y renoncerais.

J'insiste pour la conduire au parc de la Tête-d'Or pas très éloigné. Je pense qu'elle sera heureuse de voir les bourgeons aux branches des marronniers et les premiers canots glisser sur le lac. Elle secoue la tête.

— Non, pas au parc... sur les quais... ou plutôt du côté de Fourvière ; c'est dur pour vous, à cause de toutes ces montées, mais j'aime bien ces quartiers-là.

Nous savons qu'elle ne dit pas tout à fait la vérité. En réalité, elle poursuit son idée. Elle s'entête à croire à son rêve qui lui a fait voir Kafi, errant dans ces vieux quartiers. Malheureusement, Kafi a disparu depuis plus de trois mois. De nouveau, je perds espoir. Il m'arrive, en poussant sa chaise roulante, de rester longtemps sans dire un mot et de soupirer.

— Les garçons, déclare-t-elle alors en riant, ça n'a pas de patience. Tu verras, Tidou, tu verras !...

Je me sens un peu honteux. Elle a raison, d'ailleurs, de s'obstiner puisqu'un jour...

C'est un dimanche. Il fait si beau que je propose à Mady de descendre sur le cours qui longe le Rhône, juste au pied de la Croix-Rousse. Elle verra passer beaucoup de monde.

— Oh oui ! fait-elle avec enthousiasme. Sur le cours !

Ce jour-là, avec moi, il y a Corget et un autre Gros-Caillou qu'on appelle Bistèque, parce que son père travaille dans une boucherie,

un « gone » aussi blond que le petit Gnafron est brun. On n'est qu'au début de mars, mais il fait si beau qu'on se croirait en avril et même en mai. Les gens marchent plus lentement que d'habitude ; beaucoup se dirigent vers le parc. Je propose d'aller, nous aussi, jusque-là.

— Non, Tidou, ici aussi il y a des arbres, et le Rhône est si beau avec ses mouettes... et puis on verra plus de monde... et plus de chiens.

Alors nous arrêtons son carrosse tout contre le parapet, en plein soleil, comme elle le demande et tous les trois, Corget, Bistèque et moi, nous nous asseyons sur le petit mur. Vraiment, il fait très beau, les gens qui passent ont l'air heureux... les chiens aussi, qui tirent sur leur laisse pour se donner un peu plus de liberté. Ah ! si Kafi était là !... Ce soleil me rappelle Reillanette, les courses folles avec lui dans les champs.

Nous sommes assis depuis un long moment quand Bistèque, qui ne tient jamais en place, et balance ses jambes le long du parapet, déclare :

— Si on allait plus loin, maintenant ?

— Moi, je ne m'ennuie pas, fait Mady, mais vous devez avoir des fourmis dans les jambes. Si vous descendiez au bord du Rhône !...

Nous hésitons.

— Si, insiste-t-elle, avec tout ce monde qui passe, je ne m'ennuierai pas... et, avec mon frein de secours, je ne risque pas de partir à la dérive !

J'hésite encore. Un pressentiment me dit de ne pas m'éloigner, mais les autres m'entraînent. Nous dégringolons les marches qui mènent au fleuve. Là-bas, sur les Alpes, les neiges n'ont pas encore commencé à fondre car les eaux sont restées basses. Une langue de sable et de gravier s'étire le long de la rive.

— Chouette ! fait Bistèque, on va pouvoir organiser quelque chose.

Corget approuve, moi, je n'ai pas tellement envie de m'amuser. Je pense toujours à Kafi, à la rivière de Reillanette, aux bâtons que je lançais dans l'eau et qu'il allait chercher à la nage. Mais les autres m'attendent. Bistèque connaît toutes sortes de jeux. Il vient de ramasser des bouts de bois transportés par le Rhône et les plante dans le gravier. Nous entamons une partie de quilles. Malgré moi, à plusieurs reprises, je me retourne vers le quai, comme si Mady m'appelait.

— Arrête, fait Corget, ça lui fait plaisir de rester un moment seule.

Et je me laisse prendre au jeu. À grands coups de galets, nous abattons les quilles. Nous nous échauffons, une partie succède à une autre. Il fait si chaud sur ce sable rendu brûlant par le soleil que nous enlevons nos vestes. Tout à coup, relevant la tête, je crois apercevoir la main de Mady qui s'agite, dépassant à peine la rambarde.

— Corget ! Bistèque !... Venez vite, elle nous appelle ; il lui est sûrement arrivé quelque chose !

Reprenant vivement nos manteaux, nous escaladons quatre à quatre les marches du quai. Je débouche, le premier, sur le cours.

— Oh !...

C'est à peine si on reconnaît Mady, dressée sur sa chaise malgré l'interdiction du docteur, et toute pâle.

— Mady ! qu'est-ce qu'il y a ?

Elle tremble si fort qu'elle peut à peine parler.

— Kafi !... je l'ai vu... là !... trop tard !...

— Tu l'as vu ?... Tu es sûre ?...

— Absolument sûre... Il est parti, dans une voiture, il y a à peine cinq minutes.

C'est moi, maintenant, qui me mets à trembler. Plusieurs fois, des « Gros-Caillou » ont cru apercevoir mon chien, ils s'étaient

trompés ; mais Mady ?... Je ne pense qu'elle ait pu se méprendre.

— Dans une voiture, tu dis ?... Et tu as eu le temps de le reconnaître ?

— Cette voiture venait de passer devant moi, son moteur faisait un bruit de ferraille ; elle s'est arrêtée un peu plus loin, juste à la hauteur de ce platane qui a une grosse branche tordue.

— Et alors ?

— Un homme est descendu ; il a tout de suite soulevé le capot pour trafiquer le moteur. Deux fois, il s'est remis au volant pour essayer de repartir, le moteur ne voulait plus démarrer. Alors il est descendu de nouveau, je l'ai vu s'éloigner pour aller sans doute demander l'aide d'un garagiste ou d'un mécanicien. Il avait une drôle d'allure, une grosse écharpe autour du cou, comme quelqu'un qui est enrhumé.

— Mais Kafi ?

— Je crois qu'il y avait quelqu'un à l'intérieur : je voyais quelque chose bouger, mais pas distinctement parce que l'homme avait laissé le capot relevé et ça faisait de l'ombre dans la voiture. Puis, tout à coup, j'ai aperçu une tête de chien à la portière, une tête de chien-loup. Mon cœur a fait un bond, j'ai

tout de suite pensé à Kafi. Alors, j'ai appelé. Il n'a pas entendu; les voitures qui passaient faisaient trop de bruit. J'ai appelé, plus fort encore : « Kafi !... Kafi !... » Tout à coup, le chien a dressé les oreilles, cherchant d'où venait l'appel. Quand j'ai vu qu'il me regardait, j'ai appelé encore, de toutes mes forces. Alors, le chien a bondi par la vitre ouverte et s'est avancé. À vingt mètres de moi, il s'est arrêté, m'a regardée et j'ai de nouveau prononcé son nom. Ses oreilles ont remué et il a penché la tête. À ce moment-là, j'ai bien eu le temps de le voir. Ses pattes étaient rousses, exactement comme tu me l'avais dit. Je l'ai encore appelé, très doucement. Il s'est avancé, toujours plus près de moi. Par petites étapes, il est arrivé jusqu'au bord du trottoir, là, à moins de trois mètres. À ce moment, au lieu de me fixer, il s'est mis à flairer le sol, s'est approché du parapet, à l'endroit où tu étais assis, Tidou. Puis il est venu derrière la chaise longue et j'ai compris qu'il flairait la poignée où tu poses tes mains pour me pousser. Je ne pouvais pas me retourner pour le voir, mais il était si près qu'en allongeant le bras j'aurais pu le toucher. Alors j'ai dit : « Tidou ?... Où est Tidou ? » et il a eu un petit aboiement de joie. Mais juste à ce moment,

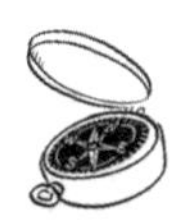

il a sursauté et s'est enfui. L'homme était revenu près de la voiture et l'avait rappelé d'un coup de sifflet.

Mady s'arrête, à bout de souffle et d'émotion, les yeux brillants de larmes. Penchés sur son « carrosse », nous avons tous trois écouté, la respiration suspendue. Cette fois, plus de doute, c'est bien Kafi. Jamais, depuis le jour de sa disparition, je ne me suis senti aussi bouleversé.

— Et après, Mady, qu'est-ce qui s'est passé ?

— L'homme à l'écharpe était si furieux qu'il a frappé Kafi et l'a fait aussitôt remonter dans la voiture, pendant que le mécanicien, qu'il avait ramené, cherchait la panne. J'ai fait de grands gestes pour qu'il me voie, qu'il vienne jusqu'ici ; il ne m'a pas aperçue. Alors j'ai fait signe à un vieux monsieur qui passait, lui ai demandé d'aller appeler le chauffeur de la voiture. Il n'a pas compris, je pense qu'il était sourd. J'ai dû attendre un autre passant, une dame qui justement promenait un petit chien. Mais elle n'a pas eu le temps ; la voiture démarrait, elle n'a pu m'amener que le mécanicien qui ne connaissait pas cet automobiliste de passage.

Elle s'arrête encore, essoufflée, désespérée.

— Vraiment pas de chance ! soupire-t-elle. Si vous aviez été là ! C'est ma faute ! Si j'avais pu me lever, courir !...

Pendant quelques instants, nous restons tous silencieux, désemparés. Pas de chance, en effet !

— Cette voiture, demande Corget, elle était comment ?

— Je ne voyais que l'arrière, je n'ai pas reconnu la marque ; tout ce que je peux dire c'est qu'elle était noire.

— Et sa plaque d'immatriculation ?

— Malheureusement, cette fontaine là-bas me la cachait. Quand elle a démarré, je n'ai pu lire que les derniers chiffres, le 69.

— Oui, fait Bistèque, le numéro de Lyon, ça ne peut pas nous apprendre grand-chose.

— Et elle est partie de quel côté ?

— Elle a suivi le cours et je l'ai vue tourner à droite, vers le centre de la ville.

Impossible donc de la retrouver ! Mais tout à coup, Mady tend son regard vers l'endroit où elle stationnait.

— Oh ! je me souviens... Juste au moment où la voiture allait démarrer, l'homme a jeté quelque chose par la portière, un bout de papier peut-être, ou de carton. Allez voir, on ne sait jamais !...

Nous nous précipitons. Le long du trottoir, je ramasse une petite boîte vide que j'apporte aussitôt à Mady.

— Oui, ce doit être ça !

C'est une boîte de pastilles contre la toux. L'homme, qui était enrhumé, puisqu'il avait une écharpe autour du cou, a dû la jeter en prenant le dernier comprimé... cela ne peut pas nous être bien utile. Mais soudain Corget pousse une exclamation.

— Regardez !... là !...

Sur le fond de la boîte, il vient de découvrir cette inscription :

Pharmacie du Serpent-Vert,
2, rue Traversac
Lyon

Nous nous regardons tous. Corget et Bistèque se grattent la tête pour mieux réfléchir.

— Ça y est, fait vivement Bistèque, j'ai trouvé ! La rue Traversac, mais oui, c'est bien ça, une petite rue qui grimpe presque autant que les Hautes-Buttes, juste sous la basilique de Fourvière.

— Fourvière ! s'écrie Mady, tu as dit Fourvière !... Comme dans mon rêve !...

Puis, me prenant les mains :
— Tidou ! Je le savais, c'est là qu'on retrouvera Kafi !...

chapitre 13

La nouvelle piste

Bistèque ne s'est pas trompé. Une fois Mady reconduite chez elle, nous avons couru à Fourvière, cette colline de Lyon, qui fait face à la Croix-Rousse, de l'autre côté de la Saône. La rue Traversac part du pied de la colline pour s'élever, en se tortillant, vers la basilique qui la couronne. La pharmacie du Serpent-Vert se trouve presque en bas ; une vieille pharmacie démodée, aux étagères pleines de flacons et de bocaux mais, le dimanche, elle est fermée... D'ailleurs, qu'aurions-nous demandé ?

Le lendemain, tous les « Gros-Caillou » se retrouvent dans la caverne de la Rampe des Pirates. Avec précision, Corget, Bistèque et

moi, nous refaisons le récit de l'événement de la veille. Cette fois, personne ne doute. Mady n'a pas pu se tromper. C'est bien Kafi qu'elle a vu. Un autre chien n'aurait pas abandonné le véhicule qu'il gardait, ne serait pas venu renifler le parapet et la chaise longue à roulettes, n'aurait pas aboyé de plaisir en entendant prononcer mon nom.

Quel dommage que Mady n'ait pu relever le numéro de la plaque ! Nous aurions peut-être retrouvé son propriétaire... et Kafi. Notre seule chance, c'est la petite boîte de pastilles.

— Bien sûr, explique Corget, si l'homme l'a achetée dans cette pharmacie, c'est probablement qu'il habite le quartier... ou qu'il y vient souvent.

— Oui, fait le Tondu, mais moi, ce qui m'étonne, c'est justement que Kafi ait été recueilli dans ce quartier. Tout le monde le sait, Fourvière n'est pas un quartier riche. Un chien comme Kafi coûte cher à nourrir, autant qu'une personne.

— Ça me chiffonne aussi, approuve Gnafron... cet automobiliste, il ressemblait à quoi, exactement, d'après Mady ?

— On vous l'a dit, il était à plus de cinquante mètres, elle ne l'a pas bien vu. Il avait un chapeau gris et une écharpe, elle a

à peine aperçu son visage... Quant à la voiture, elle l'a dit aussi : noire, ni très neuve, ni très vieille, une voiture comme on en voit des milliers à Lyon.

— Moi, fait la Guille, un « Gros-Caillou » de fraîche date, surnommé ainsi parce qu'il a longtemps habité le quartier de la Guillotière, je suis certain que Kafi n'a pas changé de maître depuis qu'il a disparu.

— Pourquoi ?

— Parce que, justement, je crois qu'il a été emmené par les cambrioleurs de la rue des Rouettes et que ces gens n'habitent pas un beau quartier.

— Oui, fait Gnafron, Mady y a déjà pensé... Mais pourquoi les voleurs garderaient-ils un chien comme lui ? Ils auraient pu le vendre pour se faire de l'argent. Vous n'allez pas me dire qu'ils s'y sont attachés ; ce n'est pas le genre des cambrioleurs !

— Alors, peut-être qu'ils s'en servent ?

— Pour quoi faire ? Kafi est un chien-loup, d'accord, mais pas un chien policier ; il n'a pas été dressé, hein, Tidou ?

Plus nous cherchons, moins nous trouvons. Une seule chose est certaine : désormais, c'est vers Fourvière que nous dirigerons nos recherches.

Heureusement, les soirées sont devenues beaucoup plus longues. Le jour se prolonge jusqu'à sept heures. Si nous nous attardons un peu, ni ma mère, ni celles des autres « Gros-Caillou » ne s'inquiéteront, puisqu'elles nous savent avec Mady.

Alors, chaque soir, nous partons enquêter, avec Mady quand il fait beau, seuls quand le temps est trop froid ou s'il pleut, ce qui arrive souvent. Quand nous emmenons notre petite malade dans ces rues encore plus en pente que celles de la Croix-Rousse, nous ne sommes pas trop de quatre pour pousser le « carrosse ». Nous nous arrangeons toujours pour passer devant la pharmacie de la rue Traversac comme si le serpent vert de l'enseigne devait nous livrer le secret. Une fois même, Gnafron et moi, nous nous décidons à entrer pour être sûrs qu'on y vend bien les pastilles dont nous avons retrouvé une boîte. Nous en achetons, nous nous décidons même à demander au pharmacien si elles sont bonnes et s'il en vend beaucoup. L'homme nous regarde d'un air tellement soupçonneux que nous n'attendons pas la réponse.

Plusieurs jours passent. Nous avons parcouru toutes les rues de Fourvière, levé le

nez vers toutes les fenêtres, tous les balcons, regardé par-dessus tous les murs qui peuvent abriter des cours ou des jardins. Rien.

J'ai beau me répéter que Kafi est vivant, dans Lyon, je ne peux m'empêcher de penser à ce qu'a vu Mady : l'homme frappant Kafi. Mon chien malheureux, c'est aussi horrible que si on me frappait, moi.

Alors, Mady essaie de me rassurer.

— Oui, il l'a battu, mais Kafi lui avait désobéi. Il ne le frappe peut-être pas souvent. De toute façon, c'est bientôt fini... puisqu'on va le délivrer.

Chère Mady ! Après sa déception d'avoir été impuissante à arrêter l'homme, elle a reconquis toute sa confiance. Si, un jour, je retrouve mon chien, elle sera aussi heureuse que moi. Elle en oublie de penser à elle. Pourtant, je sais qu'à sa dernière visite le docteur n'a pas été encourageant. Quand elle lui a demandé si elle serait guérie avant l'été, il a hoché la tête en disant : « Nous verrons ça, après l'examen. » Le surlendemain, on l'a descendue à l'hôpital, pour la radio. Le soir, quand je suis monté la voir, elle souriait comme les autres jours, mais j'ai bien vu qu'elle se forçait. Sa mère m'a avoué que, si Mady reste à Lyon, elle ne guérira jamais, à

cause du soleil qui lui manque. Le docteur a dit aussi qu'elle devait limiter ses promenades sur la chaise roulante. J'ai pensé alors que c'était peut-être notre faute si sa maladie s'est aggravée, à cause des secousses du « carrosse », malgré les précautions que nous prenons. Non, ce n'est pas cela. Mais, par prudence, elle ne sortira plus qu'une fois par semaine : le mercredi, par exemple.

— Oui, acquiesce-t-elle, en m'annonçant cette mauvaise nouvelle, le mercredi seulement... c'est quand même mieux qu'avant, puisque je ne quittais jamais ma chambre... D'ailleurs, pour vous aussi, c'était fatigant de me pousser dans ces rues qui montent.

La pauvre! Elle essaie d'être optimiste, mais elle aura tant de chagrin quand elle quittera de nouveau sa maison, car le docteur l'a bien dit, elle devra repartir.

Maintenant, sans elle, nous continuons de déambuler dans les rues de Fourvière. Mais, c'est étrange, on la dirait toujours parmi nous... et, finalement, c'est encore elle qui retrouvera la piste perdue.

Ce mercredi-là, nous sommes venus la chercher dès le début de l'après-midi. Le temps est couvert, humide; mais il ne pleut pas. Voyant le ciel menaçant, sa mère hésite

à la laisser partir. Nous promettons de la ramener à la première goutte de pluie. Comme les autres fois, nous passons par le quai Saint-Vincent qui, malgré tout, continue de nous attirer. Puis nous traversons la Saône et la montée commence. Nous sommes huit autour du « carrosse », presque toute la bande du Gros-Caillou. Mais nous ne pouvons pas, tout l'après-midi, promener Mady dans ces rues tortueuses qui grimpent et dégringolent sans cesse. D'ailleurs le docteur a bien recommandé : pas de secousses.

— Emmenez-moi, comme la dernière fois, sur cette terrasse d'où la vue est si belle ; j'y resterai pendant que vous irez de nouveau explorer le quartier.

Cette terrasse, qui ne porte pas de nom, ressemble au Toit aux Canuts ; la vue est même encore plus étendue. D'un côté, un mur bas qui ressemble à un parapet, de l'autre un escalier de pierre, à droite un petit café et, à côté, une boucherie.

— Ne vous inquiétez pas, fait Mady, je ne m'ennuierai pas... d'ailleurs, j'ai apporté un livre.

Au dernier moment, pensant à ce qui est déjà arrivé, j'hésite à la laisser seule. Elle insiste.

— Si, Tidou, fait-elle en riant, tu peux me laisser, il vaut mieux qu'on soit tous dispersés.

Par précaution, comme le temps demeure menaçant, j'étends mon manteau sur ses jambes et je promets de revenir vite en cas d'averse.

Me voilà parti, au hasard, comme les autres fois. Je connais maintenant toutes les rues, toutes les montées, tous les escaliers. Bien sûr, je commence par rôder autour de la pharmacie du Serpent-Vert, puis je remonte jusque derrière la basilique, dans des quartiers presque déserts. Pendant ce temps, les autres « Gros-Caillou » sont partis de leur côté. Parfois j'en rencontre un. De loin, nous échangeons un signe de la main, mais toujours le même : rien !

Six heures viennent de sonner, quelque part, à un clocher, l'heure du rendez-vous sur la terrasse, pour le retour. Nous arrivons presque tous ensemble. Que s'est-il passé ? Mady a changé de place, elle n'est plus près du petit mur où je l'avais laissée, mais contre la devanture de la boucherie, sous le rideau de toile. À son visage, à sa façon de sourire, je vois tout de suite qu'elle a quelque chose à nous dire.

— Qu'est-ce qu'il y a, Mady ?

Elle pose un doigt sur ses lèvres.

— Vite, poussez-moi plus loin, je vous expliquerai.

Nous arrêtons le « carrosse », dans un renfoncement, à mi-chemin de la descente.

— Tu as encore aperçu Kafi ?

— Non, pas Kafi.

— L'homme ?

— Non plus... écoutez-moi.

Elle raconte qu'à un moment quelques gouttes de pluie sont tombées sur la terrasse. La bouchère est sortie, a poussé la chaise sous l'auvent de la boutique.

— Comme vous l'avez constaté, je me trouvais tout près de la porte. De temps en temps, un client entrait, j'entendais tout ce qui se disait à l'intérieur. Tout à coup, j'ai tendu l'oreille. « Oh ! disait la bouchère à une cliente, que vous est-il arrivé ? Un accident ?

» — Non... c'est mon chien qui m'a mordue.

» — Vous ?... sa maîtresse ?... Alors il est méchant ?

» — Ce n'est rien, juste un coup de croc... mais un croc de chien-loup, pointu comme une aiguille. »

» Là, mon cœur a bondi. J'ai attendu avec impatience que la femme sorte. En effet, sa

main gauche était bandée. Elle avait un air bizarre et des vêtements plutôt râpés. Elle a pris l'escalier, à gauche de la terrasse, et a disparu. Un moment plus tard, n'ayant plus de clients à servir, la bouchère est sortie, sur le pas de la porte, et m'a tenu compagnie. Je me suis arrangée pour amener la conversation sur les chiens en disant que j'avais entendu ce que racontait sa cliente. Je lui ai demandé si elle la connaissait. Bien sûr, je n'ai pas dit que nous recherchions un chien volé. Elle n'a pas deviné pourquoi je posais toutes ces questions. J'ai appris que la bouchère ignorait le nom de cette cliente, qu'elle venait assez souvent, plusieurs fois par semaine, mais jamais avec son chien. Ça m'a paru assez bizarre. D'habitude, en ville, les femmes profitent de leurs courses pour faire prendre l'air à leur chien... mais ce n'est pas le plus étrange. J'ai su aussi, toujours par la bouchère, que cette cliente ne devait pas avoir le sien depuis longtemps, trois ou quatre mois, au plus, puisque, avant, elle ne réclamait jamais d'os pour lui.

Moi aussi, mon cœur fait un bond. Trois ou quatre mois ! L'époque où Kafi a disparu !

— Oui, Tidou, poursuit Mady, bouleversée, voilà tout ce que j'ai appris... et cette

femme, on la retrouvera sans doute facilement puisqu'elle vient là plusieurs fois par semaine acheter sa viande... Vous la reconnaîtrez facilement. Je l'ai bien regardée ! Elle portait un manteau beige, avec, des manches en fourrure plutôt râpées. Elle emportait sa viande dans un sac décoré de petits carrés de cuir, rouges et verts, cousus ensemble, en forme de damier. Elle avait vraiment un drôle d'air, pas sympathique du tout.

Nous sommes tous penchés sur elle, à l'écouter, persuadés qu'en effet elle vient une deuxième fois de retrouver la piste de Kafi. Mais, soudain, le temps se gâte ; la pluie commence à tomber; nous devons rentrer au plus vite.

Une demi-heure plus tard, Mady est de nouveau installée dans sa chambre où nous venons de la remonter avec précaution. Au moment où, le dernier, je vais lui dire au revoir, elle me retient. Son visage, si radieux tout à l'heure, quand elle nous a annoncé sa découverte, se voile.

— Tidou, fait-elle, je suis sûre, maintenant, que tu vas bientôt retrouver ton chien. Je voudrais tellement être là !...

— Mais tu seras là, Mady !

Elle baisse la tête.

— Je ne crois pas !

Je prends sa main, la serre très fort.

— Tu vas partir ?... Bientôt ?

— Papa est en train de faire les démarches... la semaine prochaine sans doute... Aujourd'hui, c'était ma dernière sortie avec vous.

— Mady, tu ne nous avais rien dit ?... Tu nous a laissés partir dans toutes ces rues pendant que tu pleurais ?

— Non, Tidou, je n'ai pas pleuré... et si vous m'aviez emmenée, je n'aurais pas parlé à la bouchère. Si tu retrouves ton chien, là je serai heureuse ! Tu vois, ça ne me fera plus rien de repartir dans cette grande maison que je n'aime pas... Les « Gros-Caillou » et toi, vous avez tous été si gentils avec moi... j'espère vous avoir vraiment aidés.

Elle sourit de nouveau, mais moi, malgré mon espoir revenu, je ne peux pas répondre à ce sourire. Pauvre Mady !

chapitre 14

Une maison grise

Le lendemain, après les cours, on grimpe à Fourvière, pour rôder autour de la boucherie. La femme au manteau beige ne vient pas... et le jour suivant non plus. Fait-elle ses courses plutôt le matin ?... Nous avons très envie de questionner la bouchère, mais j'ai peur d'éveiller les soupçons.

Heureusement, les vacances de Pâques sont là ; nous allons pouvoir, du matin au soir, nous relayer sur la terrasse et la femme au manteau beige ne pourra plus nous échapper longtemps.

Dès le lundi, en effet, je suis chez moi, à table, avec mes parents, quand je reconnais soudain, dans la rue, le sifflet perçant de

Gnafron. S'il m'appelle ainsi, c'est qu'il a quelque chose d'important à me dire. Je me retiens de me précipiter à la fenêtre. La dernière bouchée avalée, je dégringole comme un fou les cinq étages. Corget et Gnafron m'attendent, avec des airs de comploteurs.

— Tu ne nous entendais pas? demande Gnafron. Ou alors, il y avait banquet chez toi?

— Qu'est-ce qu'il y a?

— Viens, on t'expliquera.

Ils m'entraînent en bas de la rue.

— Oui, fait Corget, on l'a aperçue... et sa maison aussi. Suis-nous jusqu'à Fourvière, tu verras.

Tout en marchant, ils m'expliquent ce qu'ils ont fait.

— Voilà comment ça s'est passé. On était depuis un bon moment sur la terrasse; pour avoir l'air de faire quelque chose, Corget et moi, on discutait, près du petit mur. À onze heures moins le quart, on l'a vue arriver, comme Mady nous l'avait décrite, avec son manteau beige et son sac à carreaux rouges et verts; pas moyen de se tromper. Sa main devait être guérie parce qu'elle ne portait plus de pansement. Quand elle est sortie, on a continué à jouer, pour ne pas attirer

son attention. Elle a descendu lentement les marches de la terrasse. Alors on l'a suivie... mais de loin. Elle a tourné à droite, puis encore à droite, finalement elle s'est arrêtée devant une maison grise, une sorte d'ancienne villa, plutôt sale, entourée de murs, comme il y en a beaucoup dans ce quartier. Elle a sorti une clé de la poche de son manteau et est entrée. On a attendu un moment, pour être sûrs qu'elle n'allait pas repartir ; alors, on s'est avancés. Il n'y avait rien sur la porte, aucun nom ; on a remarqué que les rideaux des deux fenêtres sur la rue n'étaient pas des rideaux normaux mais des rideaux très épais, en toile ; ça nous a paru bizarre.

— Et Kafi, vous l'avez entendu ?

— Non, mais attends qu'on finisse de t'expliquer. On a dépassé la maison en suivant le mur de clôture. Là, entre ce mur et celui de la maison voisine, une sorte de vieille villa, elle aussi, on a trouvé un escalier de pierre qui doit rejoindre une autre rue, plus bas ; on s'est cachés pour écouter... seulement, tu comprends, Tidou, on n'a pas appelé Kafi, il n'aurait pas reconnu notre voix ; pas la peine de le faire aboyer inutilement. C'est pour ça qu'on est venus te chercher.

Nous avons traversé la Saône; Fourvière se dresse devant nous avec sa basilique et sa tour, pareille à la tour Eiffel. Nous passons encore une fois devant la pharmacie du Serpent-Vert, puis la grimpée commence. Je sens mon cœur battre très fort. Enfin, on arrive à l'entrée d'une petite rue bordée de murs.

— C'est là, fait Corget, elle s'appelle la rue de l'Ange... La maison, c'est celle que tu vois là-bas, avec une girouette sur le toit.

Nous nous approchons lentement. Corget et Gnafron ont pris la précaution d'aborder la rue par l'autre bout, pour qu'on arrive tout de suite à l'entrée de l'escalier de pierre sans être obligés de passer devant la maison. En pensant que Kafi est peut-être là, tout près, derrière ce mur, je tremble de joie et d'inquiétude. Si je l'appelais! Non, il vaut mieux ne pas se trahir avant d'être sûr. Mais justement, comment savoir? Le seul moyen, c'est de regarder par-dessus le mur en se faisant la courte échelle.

Pendant que Gnafron surveille la rue, Corget se colle le dos au mur et croise ses doigts pour que j'y pose mon pied. Lentement, je m'élève contre le mur raboteux d'où se détachent des morceaux de

crépi. Mon regard atteint le sommet. Un jardin apparaît, laissé à l'abandon ; plus loin, à l'opposé, tout contre la maison, une sorte de hangar. Soudain, mon cœur fait un grand bond. Sous cet abri se trouve une caisse transformée en niche à chien. Oh ! Kafi !... je distingue à peine la forme couchée à l'intérieur, mais c'est lui, j'en suis sûr. Pendant quelques instants, je reste tremblant, les mains crispées sur l'arête du mur. Que faire ? Les fenêtres de la maison grise, donnant sur le jardin, sont fermées, la femme est sans doute occupée, elle n'entendra pas. Alors, doucement, j'appelle.

— Kafi !

À l'intérieur de la niche, la forme a bougé. C'est bien Kafi ! Il sort, je le distingue tout entier. Je reconnais sa façon de pencher la tête ; il s'avance, tire sur sa chaîne, les oreilles dressées. Alors, de nouveau, j'appelle :

— Kafi !...

Cette fois, il a compris d'où venait l'appel, son regard s'arrête dans ma direction. À mi-voix, je répète :

— Kafi ! c'est ton ami Tidou !

Mon chien m'a reconnu et, au lieu d'aboyer, de tirer sur sa chaîne comme un forcené pour tenter de me rejoindre, il reste

immobile, assis sur ses pattes de derrière, fasciné. Je pose vivement un doigt sur mes lèvres pour lui demander de ne pas aboyer ; à Reillanette, il connaissait ce geste, que lui faisait souvent maman, quand mon petit frère dormait. Nous restons ainsi, face à face, séparés simplement par un jardin.

Mais, tout à coup, Gnafron me fait signe ; des gens passent dans la rue. Je redescends vivement. Je suis tellement ému, que je peux à peine parler. Je dois être tout pâle, car Corget me demande aussitôt :

— Alors ?...

— C'est lui... il m'a reconnu !

Que devons-nous faire ? Comment savoir de quelle façon mon chien est arrivé chez ces gens ?... Et ces gens, qui sont-ils ? La maison paraît si étrange, avec ses épais rideaux aux fenêtres et son jardin laissé à l'abandon.

— Si Mady avait raison ? questionne Gnafron. Si ces gens-là étaient bien les cambrioleurs de la rue des Rouettes ?...

Oui, si c'étaient eux ? Mais pour moi, il me semble impossible qu'on ne me le rende pas.

— Il faut aller voir, Kafi est à moi, il me suivra.

Corget et Gnafron hésitent, je les entraîne. Mais au moment de sonner à la porte, il me

semble tout à coup qu'il va nous arriver quelque chose. Tant pis, mon doigt est sur le bouton. Un long moment s'écoule.

— Il n'y a peut-être personne, fait Corget.

Au même moment, une clé grince dans la serrure ; on entend le bruit d'un verrou. La femme est devant nous.

— Que voulez-vous ?... De l'argent ?

Je m'avance, soudain très embarrassé, intimidé par l'air bizarre de cette femme qui nous regarde curieusement.

— Je cherche un chien, que j'ai perdu.

— Un chien ?... Quel chien ?

— Un grand chien-loup, avec le bout des pattes roux. Je l'ai perdu, il y a trois mois, sur le quai Saint-Vincent.

La femme fronce les sourcils.

— Et alors ?...

— Oh ! madame, je sais qu'il est ici. Je... je l'ai entendu aboyer, j'ai reconnu sa voix.

La femme me fixe durement. D'une voix sèche, elle déclare :

— Il n'y a pas de chien ici.

Je m'attendais si peu à cette réponse que je reste abasourdi. Je me tourne vers mes amis, comme pour leur demander de réagir.

— Si, madame, fait vivement Corget, il est ici, on l'a vu, par-dessus le mur.

— Ah ! bande de vauriens, vous êtes montés sur le mur !... Mais vous avez mal vu, il n'y a pas de chien dans cette maison. Filez, si vous ne voulez pas que j'appelle la police ; et que mon mari ne vous trouve pas dans les parages !...

Nous foudroyant du regard, elle referme vivement la porte à clé et tire le verrou.

Tous trois, nous restons stupides devant la porte. En levant les yeux vers la fenêtre, Gnafron voit l'épais rideau bouger. La femme doit nous observer. Éloignons-nous.

Nous nous retrouvons en bas de la rue de l'Ange, dans un parc. Comme dans les moments graves, Corget passe ses doigts dans le col de sa chemise et Gnafron se gratte la tête.

Pourquoi cette femme a-t-elle menti ? Pourquoi a-t-elle eu l'air si surprise quand j'ai prononcé le nom du quai Saint-Vincent ?...

— Mady avait raison, fait Gnafron, on est bel et bien tombés sur les voleurs de la rue des Rouettes. Si ton chien, Tidou, avait été simplement acheté par ces gens, la femme n'aurait pas répondu comme ça.

Moi, je suis désespéré. Comment récupérer Kafi maintenant ? Un instant, je songe à revenir frapper à la porte en proposant de l'argent.

— Bien sûr, dit Corget, à nous tous, on arriverait à réunir une petite somme ; mais ce n'est pas la peine ; ces gens-là ne marcheront pas... Peut-être que la police...

— Non, coupe le petit Gnafron, vous avez vu, l'autre fois, on s'est moqué de nous.

— Mais si on explique qu'on est sur la piste des voleurs de la rue des Rouettes...

— Ils ne nous croiront pas... Et comment prouver que ce sont eux ? On ne sait rien, à part que Kafi est chez eux ; ils pourraient toujours dire qu'ils l'ont acheté, tout simplement.

Bien sûr, rien ne peut démontrer qu'ils ont volé Kafi. Après ma joie de tout à l'heure, je ne sais plus quoi penser, quoi faire.

— Retournons là-bas, près de la maison.

Toujours longeant les murs, nous remontons la rue de l'Ange jusqu'à l'entrée de l'escalier de pierre où nous nous cachons de nouveau ; j'ai bien envie de jeter un regard par-dessus le mur pour apercevoir encore une fois mon pauvre Kafi mais ce ne serait pas prudent.

— Essayons plutôt de faire le tour de la maison, en longeant le mur, propose Corget.

Sans bruit, pour ne pas alerter Kafi, nous descendons d'une trentaine de marches

l'escalier de pierre. À cet endroit, le mur de clôture de la maison grise cesse de longer l'escalier. Il fait un angle droit vers la gauche. Nous nous tournons aussi ; mais cette partie du mur est construite sur une pente rocailleuse presque abrupte. Nous devons avancer en file indienne, en nous aidant des mains, pour ne pas perdre l'équilibre. Au bout d'une quarantaine de mètres le mur change d'aspect, de couleur. Nous sommes arrivés à l'extrémité de la propriété. D'après ce que j'ai pu voir, tout à l'heure, l'espèce de hangar où Kafi a sa niche doit se trouver exactement derrière le mur, à quelques pas de nous, seulement. Mon cœur se remet à battre. Nous échangeons quelques mots, tout bas... pas assez bas, pourtant. Kafi a entendu ! Il se met à aboyer. Comme tout à l'heure, je lui fais signe de se taire.

— Chut, Kafi... c'est Tidou !

Mais on entend claquer une porte, la porte de la maison qui donne sur le jardin. Une voix d'homme gronde Kafi qui laisse échapper un gémissement comme s'il avait reçu un coup. Puis la femme intervient à son tour, nous sommes si près que nous reconnaissons le son nasillard de sa voix. L'homme et la femme semblent se disputer. Si seulement nous pouvions comprendre ce qu'ils disent.

— Corget, fais-moi la courte échelle !...

Ce n'est pas très facile, à cause du terrain en pente sur lequel Corget doit chercher un appui. Gnafron me maintient de son mieux pendant que je m'élève. En m'étirant j'arrive à m'agripper au sommet du mur. Heureusement, le petit hangar, couvert de plaques de tôle ondulée, me protège comme un écran. L'homme et la femme sont là, près de la niche où Kafi, maintenant, se tait. Je tends l'oreille.

— Pourquoi les as-tu laissés entrer ? fait l'homme, sur un ton de colère.

— Je ne les ai pas laissés entrer... ils ont sonné, je suis allée ouvrir.

— Comment ont-ils pu savoir qu'il y a un chien-loup ici ?... Ils sont du quartier ?

— Je ne crois pas, je ne les avais jamais vus... en tout cas, ils avaient l'air bien renseignés. S'ils sont montés sur le mur pour regarder dans le jardin, c'est qu'ils savent quelque chose.

L'homme et la femme se taisent un instant. Retenant ma respiration, je me cramponne de toutes mes forces contre le mur pour ne pas tomber.

— Et tu dis, reprend l'homme, qu'ils ont parlé du quai Saint-Vincent ?

— Oui, ils savent que le chien a été perdu là, il y a trois mois.

— C'est grave ; si ces gamins décidaient de parler à la police ? Si les agents venaient enquêter ici ?...

— La police ne s'occupe pas des chiens perdus.

— Il suffit d'une fois.

Nouveau silence, puis l'homme reprend :

— Tant pis ! Après tout, ce chien ne nous rendait pas tant de services, il était trop vieux pour être bien dressé. Mieux vaut s'en débarrasser... et rapidement.

— Comment ?

— Pas en essayant de le perdre, il serait capable de retrouver son chemin ; non, en l'empoisonnant. Descends à la pharmacie, on te donnera ce qu'il faut.

— Tu sais bien qu'aujourd'hui celle du Serpent-Vert est fermée.

— Il n'y a pas qu'une pharmacie à Lyon.

— Ailleurs on ne me donnera pas de poison sans ordonnance ; on ne me connaît pas.

— Alors, dès demain matin, tu me rapportes le poison, un morceau de viande et j'emmène le cabot dans la campagne pour ne pas avoir à l'enterrer dans le jardin.

— D'accord.

Toute la fin de la discussion a eu lieu à voix basse mais, par les fentes des tôles mal jointes, je n'ai pas perdu un mot. Maintenant, l'homme et la femme s'éloignent, j'entends se refermer la porte de la maison.

Ils veulent tuer Kafi ! C'est affreux ! Je me demande comment j'ai pu rester là, cramponné au mur, sans crier ma révolte. Une fois redescendu des épaules de Corget, je m'effondre, désespéré.

La gorge serrée, je répète ce que je viens d'entendre. Corget et Gnafron restent atterrés.

— Les bandits ! fait Gnafron en serrant les poings.

Cette fois, plus de doute, les ravisseurs de Kafi sont bien les cambrioleurs de la rue des Rouettes. S'ils n'avaient rien à se reprocher, ils n'auraient pas décidé, si brusquement, de faire disparaître mon chien. Oh ! non, ce n'est pas possible ! Kafi ne peut pas mourir. Malgré moi, je l'imagine déjà, se tordant de douleur, l'écume à la gueule, l'œil vitreux, agonisant.

— Viens, Tidou, fait Corget, à voix basse, en me prenant le bras, on le sauvera.

chapitre 15

Derrière les murs d'un jardin

Plus que quelques heures pour sauver Kafi... Je pense tout de suite à la police. La première fois, en suivant Gnafron au commissariat, j'ai été très impressionné. Après ce que j'ai vu et entendu, je suis certain, maintenant, qu'on m'écoutera.

— Oui, approuve Corget, il faut avertir la police.

Nous descendons en courant les petites ruelles qui dégringolent de Fourvière. Comme l'autre fois, la salle du commissariat est pleine d'agents, mais je ne reconnais pas ceux que nous avons déjà vus. Mon chagrin de savoir Kafi en danger me donne du courage. Haletant, j'explique ce qui vient de se passer.

Mais comprenant qu'il s'agit d'un chien, l'agent à qui je me suis adressé fait la moue.

— Oh ! m'sieur ! lance vivement Gnafron. Ils n'ont pas le droit de garder son chien à lui... et ils n'ont pas volé qu'un chien... puisqu'on vous dit que ce sont les cambrioleurs de la rue des Rouettes !...

— Qu'en savez-vous ?

— On les a entendus parler entre eux, l'homme et la femme.

— Du cambriolage ?

— Du quai Saint-Vincent, qui est tout à côté... et ils veulent tuer le chien parce qu'ils ont peur.

— Peur de quoi ?

— Qu'on les dénonce.

— Qui ? Vous...? Des gamins ?

L'agent sourit puis, agacé, nous écarte de la main. Je me cramponne à son bras.

— S'il vous plaît ! m'sieur l'agent, ils vont le tuer, demain matin, l'empoisonner, il faut le sauver. Nous voulons voir le commissaire.

— Il est occupé.

— Nous voulons le voir, il faut qu'il nous écoute.

Devant notre insistance, l'agent finit par nous conduire à un bureau. Il frappe deux petits coups à la porte. Derrière une table de

travail encombrée de papiers, un monsieur à lunettes, presque chauve, nous regarde en fronçant les sourcils.

— Que se passe-t-il ?

— Je ne comprends rien à l'histoire que me racontent ces gamins, réagit l'agent en s'excusant, ils prétendent avoir découvert les cambrioleurs de la rue des Rouettes.

Alors, je reprends mon récit mais, dès le début, constatant lui aussi qu'il s'agit d'un chien, le commissaire fait la grimace et s'emporte presque.

— Et c'est pour cela que vous venez me déranger ?... Comme si les cambrioleurs s'amusaient à ramasser les chiens perdus !

Je me ressaisis, prêt à répéter que je suis absolument sûr de ce que j'ai vu et entendu, mais le commissaire donne un coup de poing sur la table et appelle l'agent.

— Je n'ai pas de temps à perdre à écouter ces bêtises, faites-moi sortir ces gamins !

Puis, se tournant vers nous :

— Et estimez-vous heureux que je ne raconte pas à vos parents que vous avez tenté d'escalader le mur d'une propriété privée !

Retraversant la salle pleine de policiers, nous nous retrouvons, désemparés, dans la rue.

— Tant pis ! fait Gnafron en haussant les épaules, ils ne veulent pas nous croire... eh bien, on se passera d'eux.

Consternés, nous traversons, en silence, la place des Terreaux pleine de monde. Que faire ?... Pour sauver Kafi, un seul moyen : revenir vers la maison grise et sauter, pour de bon cette fois, le mur du jardin. Mais, bien entendu, nous devrons attendre la nuit, et la nuit, en cette saison, n'arrive pas avant huit heures. D'autre part, pour que notre coup ait toutes les chances de réussir, il faut mobiliser tous les « Gros-Caillou » pour faire le guet. Pourront-ils venir ? On décide d'aller voir Mady qui, certainement, nous donnera une idée.

En apprenant que nous avons retrouvé la piste de Kafi, que je l'ai aperçu, la jeune malade pousse un cri de joie.

— Je le savais, s'exclame-t-elle, j'étais sûre que les voleurs de la rue des Rouettes l'avaient emmené !

Mais, quand elle apprend qu'au commissariat, personne n'a voulu nous croire et que, dans quelques heures, Kafi doit mourir, elle s'indigne et les larmes lui montent aux yeux.

— Oh ! souffle-t-elle, il faut que vous l'enleviez ce soir ! Ces gens n'ont pas le droit de

le garder et de le tuer. Oui, ce soir !... Si seulement je pouvais vous aider !...

On lui explique qu'il sera difficile, après le dîner, de réunir tous les « Gros-Caillou ». Elle réfléchit.

— C'est simple, reprend-elle, vous n'aurez qu'à dire à vos parents que je vous ai tous invités ce soir, à cause de mon départ... D'ailleurs c'est vrai ; cet après-midi, maman a fait un gros gâteau pour vous. Dès que vous aurez délivré Kafi, vous reviendrez ici tous ensemble.

Et voilà ! En quelques mots, elle a su effacer notre amère déception de tout à l'heure.

Il ne nous reste qu'à retrouver les autres « Gros-Caillou » pour les mettre au courant. Il est déjà six heures.

— Ne t'inquiète pas, Tidou, déclare Corget, on s'en occupe. Rendez-vous à huit heures et quart dans la caverne de la Rampe des Pirates.

Je quitte Corget et Gnafron pour retourner chez moi, mais au moment d'entrer, je suis si bouleversé, si tremblant que je reste devant la porte, sans oser sonner. Je trouve maman seule avec Géo. Le cœur battant, je demande :

— Papa n'est pas encore rentré ?

Maman me regarde d'un drôle d'air, à cause de ma voix qui, je le sens bien, n'est pas naturelle.

— Voyons, Tidou, tu sais bien que c'est lundi, aujourd'hui, et que, cette semaine, son équipe travaille le soir, à l'usine.

C'est vrai, j'avais oublié. Mon père ne rentrera pas avant dix heures et demie. Je soupire. Il faut tout de même que je demande à maman la permission de sortir de nouveau tout à l'heure. Alors pour cacher mon émotion, pendant le repas, je me mets à parler de Mady, de sa maladie, de son chagrin, de cet hôpital où elle doit repartir, où elle sera encore si malheureuse... puis, timidement, en rougissant très fort, justement parce que j'essaye de m'en empêcher, je dis qu'elle nous a tous invités, ce soir, les « Gros-Caillou » et moi.

— Ce soir ! s'exclame maman. Pourquoi le soir ?... Puisque vous êtes en vacances !

Je m'efforce de trouver une explication. Tout à coup, j'ai envie de tout dire… mais non, c'est trop tard ; alors je raconte que Mady nous a invités parce que, demain après-midi, deux « Gros-Caillou » ne pourront pas venir. Puis, très vite, je demande :

— Tu veux bien me laisser sortir ? Je te promets de ne pas rentrer tard.

Maman me regarde encore et soupire :

— D'accord... puisque c'est la dernière fois...

Dès la fin du dîner, je prends mon manteau, embrasse maman. Il me semble, à ce moment-là, qu'elle devine que je ne vais pas chez Mady mais, au même instant, mon petit frère, resté à table, renverse son bol plein de lait et elle court vers lui. Je me sauve.

La rue est presque déserte. Je cours jusqu'à la Rampe des Pirates. Gnafron est déjà là, avec la Guille. Le Tondu nous rejoint presque aussitôt... puis Corget et Bistèque.

— Tenez, regardez ce que j'ai déniché, fait Gnafron.

Il montre une sorte de petite échelle en fer qui ne mesure pas plus d'un mètre de long, beaucoup trop courte pour le mur.

— Trop courte ?... Au contraire, fait-il, c'est une échelle de ramoneur, que mon voisin m'a prêtée ! Elle se déplie, comme ça, et fait plus de trois mètres.

Le Tondu et Bistèque, eux, ont apporté chacun une corde qui pourra nous être utile.

À huit heures, la bande du Gros-Caillou est là ; il ne manque personne. Nous descendons à toute vitesse pour rejoindre le quai Saint-Vincent. Le temps est couvert, heureusement.

Impressionnés, nous marchons en longeant les murs, comme des comploteurs. En traversant le pont, sur la Saône, j'ai brusquement très peur en voyant un policier à vélo mettre pied à terre, juste à notre hauteur. Gnafron, le Tondu et Bistèque cachent vivement leur attirail. Fausse alerte ; l'agent n'est descendu de sa selle que pour remettre en place la chaîne de son vélo qui a sauté.

Dix minutes plus tard, nous arrivons en bas de la rue de l'Ange. Toujours longeant les murs, nous filons nous cacher dans l'escalier de pierre, mal éclairé, où, à cette heure, personne ne doit plus passer.

Tout a été prévu. Deux « Gros-Caillou » feront le guet, dans la rue de l'Ange, deux autres dans l'escalier, plus bas. Corget et Bistèque tiendront l'échelle. Je grimperai le premier. Gnafron, léger comme un singe, m'accompagnera. Dès que nous aurons atteint le sommet du mur, que nous aurons la certitude que personne ne peut nous voir de la maison grise, les autres nous passeront l'échelle qu'il faudra faire glisser de l'autre côté, dans le jardin. Tout cela n'est pas très compliqué. Pourvu que Kafi n'aboie pas !

Sans bruit, l'échelle est posée contre la clôture et solidement calée. Le cœur battant, je

m'élève ; j'atteins le sommet du mur. Une nuit grise emplit le jardin ; je distingue à peine le toit du petit hangar qui abrite la niche. À travers les fentes des volets de la maison filtrent deux rais de lumière. Une seule pièce paraît éclairée ; alors, doucement, très doucement, j'appelle :

— Kafi !... Kafi !...

Je reconnais le cliquetis d'une chaîne dont les anneaux frottent les uns sur les autres.

— Kafi !... c'est moi, Tidou... chut ! tais-toi ! tais-toi !...

Mon brave chien a reconnu ma voix, il laisse échapper de petits grognements étouffés et je perçois son halètement. Un bref regard encore vers la fenêtre et je fais signe à Gnafron de me rejoindre. Il faut faire vite. Sans bruit, l'échelle est hissée sur le mur, descendue de l'autre côté. Mais à ce moment, Kafi, intrigué par cette acrobatie, ne peut se retenir d'aboyer.

— Tais-toi, Kafi !...

Je m'engage à nouveau sur l'échelle pour atteindre le jardin, la peur s'empare de moi. Si, tout à coup, l'homme surgissait, une arme à la main ! Deux minutes passent. Les aboiements de Kafi, qui maintenant se tait, n'ont pas alerté les habitants de la maison grise. Je

touche le sol du jardin et Gnafron me rejoint. Mon cœur bat à toute vitesse. Vingt mètres seulement me séparent de mon chien. Mais au moment même où je vais m'élancer vers lui, il recommence à aboyer, si fort, cette fois, que je n'ose faire un pas de plus. Heureusement, d'ailleurs : au même moment, la porte de la maison donnant sur le jardin vient de s'ouvrir, éclairant le petit hangar. Gnafron et moi, nous nous aplatissons vivement sur le sol, dans les broussailles d'un ancien parterre de fleurs. Une ombre se découpe, celle de l'homme; j'aperçois Kafi qui, tirant de toutes ses forces sur sa chaîne, regarde fixement dans notre direction. L'homme va certainement comprendre que Kafi a aboyé parce qu'il vient de voir ou d'entendre quelque chose. Nous sommes perdus ! En effet, l'homme se tourne vers nous, semble écouter. S'il fait quelques pas de plus, il va nous découvrir. Nous nous aplatissons davantage; mon cœur s'arrête de battre. Tout à coup, une idée diabolique vient à Gnafron. Il se met à imiter le miaulement d'un chat ou plutôt de deux chats qui se battent. Tirant sur sa chaîne, Kafi se remet à aboyer furieusement. La petite ruse de Gnafron a réussi ! L'homme s'arrête, se retourne vers Kafi.

— Ah ! sale bête, c'est pour des chats que tu fais ce vacarme... Tiens !...

Les aboiements de mon chien se transforment en gémissements. Pour le faire taire, la brute lui a lancé un coup de pied. La tête basse, Kafi rentre dans sa niche où l'homme le menace encore. Puis il revient vers la maison et la porte se referme. Le jardin est de nouveau plongé dans l'obscurité.

Toujours étendus dans l'herbe, nous reprenons notre respiration. Deux minutes s'écoulent, interminables. Kafi, terrorisé, ne quitte plus sa niche. La maison grise est silencieuse et les rais de lumière filtrent toujours à travers les volets d'une fenêtre.

— C'est le moment, murmure Gnafron, allons-y !...

chapitre 16

Deux petites valises jaunes...

Mais nous n'avons pas fait trois pas que, brusquement, à la fenêtre de la maison grise, les rais de lumière s'évanouissent. On s'étend à nouveau rapidement sur le sol. La porte donnant sur le jardin se rouvre mais, cette fois, sans laisser échapper, vers l'extérieur, la moindre clarté. Puis le petit rond lumineux d'une lampe électrique balaie les marches, le hangar où, l'espace d'un instant, j'aperçois Kafi, toujours blotti au fond de sa niche. Pourquoi l'homme a-t-il éteint, à l'intérieur ? Que veut-il faire avec sa lampe de poche ? Nous a-t-il aperçus, à travers les fentes des volets ?... Ou bien se prépare-t-il à tuer Kafi ?

Épouvanté, je saisis la main de Gnafron qui tremble autant que moi. Mais, presque aussitôt, sur les marches, une autre ombre apparaît : celle de la femme. Il me semble vaguement qu'elle porte un manteau, le manteau beige. Les deux ombres échangent quelques mots, à voix basse, puis le rond de lumière se déplace... non pas dans notre direction mais vers le fond du jardin, là où le mur surplombe le terrain rocailleux. Près du mur, le rond de lumière s'immobilise de nouveau, remonte le long de la clôture.

— Regarde ! murmure Gnafron à mon oreille. On dirait qu'ils portent tous deux quelque chose.

J'écarquille les yeux. L'homme et la femme tiennent chacun une petite valise. Que vont-ils faire ?... On entend bientôt le bruit sec d'un verrou brusquement tiré. Je me souviens alors d'avoir, dans l'après-midi, remarqué, de l'autre côté du mur, à peu près à cette hauteur, un petit panneau de bois qui pouvait bien être une porte condamnée. Au bruit du verrou succède le grincement de gonds rouillés. La lumière disparaît. L'homme et la femme sont partis.

Pendant quelques secondes, nous demeurons immobiles, craignant de voir reparaître

les deux ombres. Rien. Alors, comme un fou, suivi de Gnafron, je m'élance vers Kafi.

— Kafi !... Mon brave Kafi !

Oh ! cet instant où je retrouve mon chien ! Oubliant d'un seul coup ses misères, la pauvre bête se jette sur moi, me bousculant, me donnant des coups de tête, mordillant mes vêtements comme si, dans sa joie, elle ne savait plus ce qu'elle faisait. Kafi !... Moi non plus, je ne sais plus ce que je fais. Je ris, pleure, oubliant qu'un instant plus tôt j'ai connu une folle terreur et que, brusquement, la porte du jardin peut se rouvrir. Heureusement, Gnafron, lui, ne perd pas la tête.

— Ils vont revenir, Tidou !... Filons vite !

Rapidement, je détache Kafi qui se met à gambader, sautant après moi, sautant après Gnafron, car mon chien a tout de suite compris qu'il est aussi un ami. Je montre à Kafi l'échelle appuyée contre le mur et l'aide à se hisser sur les barreaux. Il arrive en haut, puis, après une légère hésitation, saute d'un bond parmi les « Gros-Caillou ».

Il est sauvé !

Pendant quelques instants, c'est une véritable frénésie. Chacun veut le toucher, le caresser et lui, Kafi, répond de son mieux

à toutes ces marques d'affection en léchant leurs mains et leurs visages. Mais, soudain, Corget s'inquiète :

— Qu'est-ce qui s'est passé ? On a eu très peur. Pendant que vous étiez dans le jardin, j'ai risqué un œil par-dessus le mur. La lumière de la maison s'est brusquement éteinte et les deux copains qui faisaient le guet en bas des marches ont aperçu la lueur d'une lampe électrique et deux silhouettes.

Mon émotion est encore trop grande, je ne peux pas répondre. À ma place, Gnafron explique que l'homme et la femme, dont la voiture est sans doute en panne, viennent de quitter la maison par une petite porte dérobée au fond du jardin et qu'ils portaient des valises.

— Des valises ! s'écrie Bistèque. C'est louche. Ils emportaient peut-être des choses volées... Il faut les rattraper.

Tout la bande approuve. Si les ravisseurs de Kafi sont aussi les cambrioleurs de la rue des Rouettes, il ne faut pas rater l'occasion de les faire arrêter.

— Allons-y !...

Nous dégringolons les escaliers. Mais l'homme et la femme ont eu le temps de s'éloigner. En bas des marches, impossible de

retrouver la moindre trace. Heureusement, Kafi est là.

— Cherche, Kafi, cherche !...

Mon brave chien a compris. Flairant le sol, il va, vient sur le trottoir, puis, brusquement, s'élance. À sa suite, nous arrivons au bord de la Saône. Dans ces quartiers encore animés, les gens regardent, surpris, la course effrénée de cette bande de gamins. Derrière Kafi, nous traversons le pont de la Saône et longeons les quais. Soudain, le chien s'arrête, dresse les oreilles et se met à trembler.

— Là-bas ! crie le Tondu. Ce sont eux ; il les a reconnus !

Le doigt tendu, il montre deux silhouettes qui avancent d'un pas rapide, l'une derrière l'autre.

Notre course reprend mais, à présent, Kafi n'ose plus me quitter, comme s'il craignait de recevoir encore un coup. Au bruit de la galopade, l'homme se retourne et reconnaît le chien qui se trouve juste sous un lampadaire, à côté de nous. Malgré la distance, on peut lire l'affolement sur son visage. Pendant quelques instants, il reste figé puis, brusquement, se remet à courir, sa valise à bout de bras, tandis que sa femme s'efforce de le suivre.

— Rattrapons-les, vite !

Avec ses jambes en pattes d'araignée, le Tondu a pris les devants. Il va rejoindre les habitants de la maison grise quand l'homme se retourne, bondit et, d'un coup de poing, envoie rouler le Tondu sur le trottoir.

Cela s'est passé si vite que nous avons à peine vu le geste. Nous nous empressons autour de notre ami qui se relève en se frottant le menton. Il n'a pas trop mal, heureusement. Mais, pendant ce temps, l'homme et la femme nous ont distancés. La poursuite reprend.

— Aux voleurs ! crie Gnafron. Aux voleurs !

Pour nous échapper, les fuyards se sont engagés dans une petite rue qui pénètre au centre de la ville. Nous les perdons de vue. Tout à coup, nous les apercevons de nouveau, mais ils ne sont plus seuls ; ils ont alerté des policiers.

— Les voilà ! crient-ils en nous désignant. Ces voyous nous poursuivent depuis Fourvière... ils ont voulu nous attaquer !

— Oui, reprend la femme, ils nous ont bousculés pour nous arracher nos valises...

Nous nous sommes arrêtés net, suffoqués. Les deux agents s'approchent en nous observant, l'air soupçonneux.

Le Tondu proteste avec vigueur.

— Ce n'est pas vrai !... Au contraire, cet homme m'a envoyé un coup de poing... regardez mon menton qui saigne !...

— Ils ont volé son chien, à lui, hurle Gnafron en me montrant.

— Arrêtez-les ! s'égosille Corget. Ce sont eux qui ont fait le coup de la rue des Rouettes !

L'homme et la femme le regardent d'un air dédaigneux.

— Ridicule... Messieurs les agents, voici nos papiers, lisez ; nous sommes d'honnêtes commerçants.

Un policier prend la carte d'identité qu'on lui tend, la parcourt à la lueur de sa lampe électrique. Elle est en règle.

— Laissez-nous continuer notre chemin, fait vivement la femme, nous allions à la gare, nous allons manquer notre train.

— C'est faux, rétorque le Tondu, quand nous les avons aperçus, sur le quai, ils ne filaient pas vers la gare.

Les agents ne paraissent pas vouloir prendre nos accusations au sérieux. D'ailleurs, nous devons tous avoir de drôles de têtes, après notre folle dégringolade, du haut de Fourvière.

— C'est bon, que toute la bande nous suive au commissariat.

Nous protestons avec énergie. Un policier saisit le Tondu par le bras, le prenant peut-être pour le chef de la bande, à cause de sa taille. Le « Gros-Caillou » se débat avec une telle force que son bonnet tombe par terre, découvrant son crâne en boule de billard.

— En route !... Au poste !...

Alertés par la scène, des passants se sont approchés. Profitant de cet instant où les agents s'occupent de nous, l'homme et la femme essaient de s'éclipser, mais tout à coup, dans son affolement, la femme heurte un vélo rangé le long du trottoir, lâche sa valise qui s'ouvre comme une noix, déversant son contenu qui résonne, sur le pavé, en tintements métalliques.

Tout le monde se précipite. L'homme et la femme n'ont pas eu le temps de tout remettre dans la valise. Une lampe électrique fait étinceler le boîtier d'une montre en or, les perles d'un collier.

— Aux voleurs !... crie de nouveau Gnafron.

L'homme tente d'expliquer qu'il est antiquaire, qu'il transportait des objets de valeur et que ces voyous devaient le savoir. Mais ce déballage insolite a enfin mis la puce à l'oreille des policiers.

— Tous au commissariat... vous aussi !

Rouge de colère, la femme proteste encore : à cause de ces sales gamins, ils vont manquer leur train… ils vont rater un rendez-vous important... Mais rien à faire, ils doivent suivre, eux aussi !

Dix minutes plus tard, toute la troupe arrive au commissariat qui n'est pas celui où nous sommes déjà venus. À la clarté des lampes apparaissent les mines sinistres de l'homme et de la femme qui n'ont plus l'air furieux de tout à l'heure, mais plutôt inquiet.

On nous fait entrer dans une petite salle où nous nous entassons : le bureau du commissaire. Kafi frotte contre moi sa grosse tête. On dirait qu'il comprend que tout ceci vient d'arriver à cause de lui. De temps à autre, il lève, vers ses ravisseurs, un regard effrayé.

— Voilà, monsieur le commissaire, explique un des agents, nous étions en service près des quais de la Saône, quand tout à coup...

Et il commence le récit de la scène, s'efforçant de n'oublier aucun détail. Le commissaire écoute, hochant de temps en temps la tête ; puis, jetant un coup d'œil sur les valises déposées sur le coin de la table :

— Que contiennent-elles ? demande-t-il à l'homme.

— Monsieur le commissaire, je l'ai dit tout à l'heure aux policiers, elles renferment des objets de valeur ; je suis antiquaire comme l'indique ma carte d'identité.

— Ouvrez !...

— Mais, monsieur le commissaire...

— Ouvrez !

Le ton est sévère. L'homme doit s'exécuter. Nous penchons la tête pour mieux voir. Des deux petites valises jaunes, les agents retirent toutes sortes d'objets, des bijoux surtout. Soudain, le regard du commissaire s'immobilise sur une sorte de coffret brillant, incrusté de pierres bleues. Il le prend, le tourne et le retourne délicatement entre ses gros doigts, prend ses lunettes pour déchiffrer une inscription sur le médaillon du couvercle.

— Oui, c'est bien cela, murmure-t-il, entre les dents.

Puis, s'adressant à l'homme :

— Alors vous prétendez exercer le métier d'antiquaire... Pourriez-vous me dire, par exemple, d'où vient ce coffret ?

L'homme paraît gêné, il regarde sa femme, comme pour demander de l'aide, et bredouille :

— Euh... Monsieur le commissaire, j'ai de nombreux clients... je ne me souviens pas toujours...

— Vraiment?... Vous ne savez pas?

Un étrange silence règne dans la salle, un silence si impressionnant que Kafi, inquiet, courbe la tête.

— Eh bien? reprend le commissaire, en fronçant les sourcils, si vous avez perdu la mémoire, moi, je peux vous la rafraîchir. Ce coffret en or a été volé rue des Rouettes, il y a trois mois... et s'il est encore entre vos mains, c'est qu'il était trop difficile à vendre, à cause de cette inscription.

— Volé? proteste vivement l'homme. Ce n'est pas possible... en tout cas, je n'y suis pour rien... je suis un honnête commerçant.

— C'est faux! nous écrions-nous, tous en même temps. La nuit du cambriolage, il était dans la rue des Rouettes, c'est là aussi qu'il a volé Kafi!

Le commissaire nous fait signe de garder le silence puis, se retournant vers l'homme :

— De toute façon, que vous ayez volé ces objets ou seulement cachés, pour la justice, il n'y a pas de différence.

Cette fois, l'homme commence à comprendre qu'il n'y a pas grand-chose à faire.

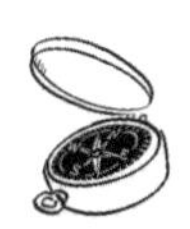

Dans un sursaut de colère qui le trahit, il se tourne vers Kafi.

— Sale bête, c'est à cause de toi... J'aurais mieux fait de te tuer tout de suite...

Puis, baissant la tête, il ajoute entre ses dents :

— Oui, c'est moi, le coup de la rue des Rouettes !

Il se tait et refuse de répondre aux questions qui lui sont posées ; la femme, au contraire, se met à parler. Elle avoue tout. C'est avec un complice, chez qui justement, tout à l'heure, ils s'en allaient cacher les bijoux, que l'appartement de la rue des Rouettes a été cambriolé. Son mari faisait le guet, quai Saint-Vincent, dans une voiture, quand il a aperçu le chien, attaché près du café. Ayant vu le papier sur la petite table, il l'a lu, a ensuite caressé le chien pour qu'il n'aboie pas. Comme c'était un bel animal, il l'a emmené, pensant pouvoir le revendre. Finalement, il l'a gardé, espérant le dresser pour garder la voiture, la nuit, pendant les cambriolages, et même donner l'alerte en aboyant, en cas de danger.

Elle aussi se retourne vers Kafi, les poings serrés.

— Sale bête !

Mais, près de moi, Kafi est maintenant en sécurité. De question en question, on apprend ensuite que ces malfaiteurs n'en sont pas à leur coup d'essai. Ils révèlent le nom de leur complice.

C'est fini; des ordres sont donnés. Les agents emmènent les deux bandits. Alors, le commissaire se lève, vient à nous, se penche vers Kafi qui, apeuré, se réfugie entre mes jambes.

— Mais non, mon brave chien, fait le commissaire en le caressant, je ne te veux pas de mal, au contraire. Grâce à toi, nous venons de mettre la main sur ces malfaiteurs que nous recherchions depuis si longtemps; comme récompense tu mériterais un gigot tout entier!

Puis, se tournant vers nous :

— Quant à vous, mes petits gars, félicitations! Si, plus tard, vous ne savez pas quoi faire dans la vie, vous pourrez toujours choisir le métier de détective! Vous êtes libres. Si par hasard j'avais besoin d'autres renseignements pour l'enquête, je vous ferais revenir...

Nous nous retrouvons dans la rue, complètement abasourdis. C'est trop beau! J'oublie tout ce qui vient de se passer pour ne penser qu'à une chose : j'ai retrouvé Kafi. Comment

croire à mon bonheur ? Pourtant, c'est bien vrai, il est là, et, voyant que je m'intéresse de nouveau à lui, il me lèche les mains. Aussitôt, je pense à Mady. Elle doit nous attendre avec tant d'impatience !

— Allons-y tous, propose le Tondu.

Nous remontons vers la Croix-Rousse en courant. Mais rue des Hautes-Buttes, au quatrième étage, les lumières sont déjà éteintes. Pauvre Mady, elle n'apprendra la bonne nouvelle que demain.

Alors, nous nous dirigeons vers la Rampe des Pirates où la fameuse niche attend Kafi, pour la nuit. Pourtant, au dernier moment, je ne me sens pas le courage de me séparer de lui. Il doit avoir tant de choses à me raconter dans son langage muet de chien. Cette pensée, Corget et les autres l'ont devinée.

— Bah ! si tu l'emmènes chez toi, proposent-ils, on parie que tes parents ne te diront rien... et tant pis pour ta gardienne !...

Oui, tant pis pour la gardienne ! D'ailleurs, avec Kafi près de moi, j'ai retrouvé toute mon assurance. Nous nous serrons les mains à s'en faire craquer les os ; une caresse de chacun à Kafi... et me voici débouchant dans la rue de la Petite-Lune avec mon chien. La

fenêtre de la gardienne est encore éclairée ; le cœur battant, je grimpe l'escalier.

— Comme c'est haut ! semble dire Kafi. Où tu m'emmènes ?

Mais, arrivé sur le palier, brutalement, je me rends compte de ma naïveté. Sans bruit, pour ne pas réveiller Géo qui doit dormir, je pousse la porte. Mais Kafi a tout de suite reconnu maman, il se précipite vers elle. Surprise, maman pousse un cri d'effroi, puis reconnaît notre chien. Elle n'en croit pas ses yeux.

— Oh ! Kafi ! ce n'est pas possible !... Comment est-il venu ?... Qui l'a amené ?

Du coup, elle oublie la terrible inquiétude que je lui ai donnée en rentrant si tard. Elle regarde Kafi, me regarde, cherchant à comprendre.

— Vite, Tidou, explique-moi !

Pendant qu'elle passe la main dans la fourrure de Kafi qui grogne de plaisir, je reste devant elle, affreusement embarrassé. Mais non, c'est fini, maintenant, je peux tout dire.

Alors, je raconte l'incroyable aventure de Kafi, comment j'ai voulu le faire venir à Lyon, comment les « Gros-Caillou » m'ont aidé, comment je l'ai retrouvé grâce à Mady. Bien sûr, je ne peux pas, tout de suite, avouer

que nous avons escaladé un mur pour le reprendre, que nous sortons du commissariat, je dirai tout cela demain, quand je serai remis de mes émotions ; d'ailleurs j'ai beaucoup d'autres choses à lui expliquer. Je ne m'arrête plus de parler. Oh ! c'est si bon de pouvoir enfin me libérer de ce qui m'a tellement préoccupé pendant des mois.

— Pardon, maman, de ne t'avoir rien dit. J'étais si malheureux sans mon chien, dans cette grande ville... et Kafi aussi a été très malheureux. S'il pouvait parler !... Regarde comme il est maigre, comme il est craintif quand on élève la voix. Pauvre Kafi !

Bouleversée, maman ne répond pas. Elle se contente de caresser notre fidèle compagnon de Reillanette. Je vois bien qu'elle me comprend, qu'elle me pardonne.

Mais des pas résonnent dans l'escalier. Mon père rentre du travail ! Je me remets à trembler. Mes yeux cherchent vivement ceux de ma mère.

— Maman ! défends-moi... défends-nous tous les deux !...

La porte s'ouvre. Mon père s'est soudain arrêté devant le tableau que nous formons, maman, Kafi et moi. Ses sourcils se froncent. De toutes mes forces, je retiens Kafi qui veut

s'élancer vers son ancien maître. Mon père fait un pas en avant, s'arrête de nouveau, le regard interrogateur.

— Ne gronde pas Tidou, s'écrie maman ; oui, il a fait revenir Kafi... mais, si tu savais... ! Regarde comme la pauvre bête est maigre... Rassure-toi, nous n'allons pas le garder ici, il a déjà sa niche, toute prête, dans une maison abandonnée... les amis de Tidou ont promis de s'en occuper...

Debout, devant nous, mon père me regarde avec insistance. Je crois voir la colère monter en lui. Mais non ! Lentement, ses sourcils se desserrent. Un sourire passe sur ses lèvres. Alors, je cesse de retenir Kafi qui s'élance vers lui.

— Mon brave chien ! fait-il en le caressant. Moi aussi, tu me manquais. Rien que tout à l'heure, en quittant l'atelier, je pensais encore à toi !

Puis, se tournant vers moi :

— Après tout, tu as bien fait, Tidou ; puisqu'il est là, nous nous arrangerons pour le garder.

Cette fois, c'est la joie. Je saute au cou de mon père et l'embrasse frénétiquement.

— Merci ! merci, papa !...

chapitre 17

Une vieille dame aux cheveux blancs

Le lendemain, malgré mes émotions de la veille, je me réveille de bonne heure. Quand j'ouvre les yeux, Kafi est là, le museau sur le revers de la couverture. Comme à Reillanette, il s'est approché sans bruit, attendant que j'ouvre les paupières, pour me dire bonjour. Son regard, si craintif la veille, a déjà repris son éclat. Quand j'étends la main pour le caresser, il retrouve sa façon amusante de pencher la tête pour me dire qu'il est joyeux.

Presque aussitôt, je pense à Mady. La veille, angoissée, elle a dû nous attendre longtemps. Je me lève rapidement, avale mon petit déjeuner pendant que Kafi, de son côté, lape un bol de lait... pas de lait de chèvre comme

à Reillanette, mais du lait tout de même. Je brosse soigneusement son pelage, malheureusement moins luisant qu'autrefois, et je sors avec lui.

Cette fois, la gardienne ne m'effraie plus, je suis fier de montrer mon chien. En descendant l'escalier, j'ai même tellement envie de la voir apparaître avec son chignon pendant sur la nuque, qu'arrivé au premier palier, je lance avec entrain :

— Alors, Kafi, on part en promenade ?

Promenade !... Pour lui, c'est le mot magique, le mot qu'à Reillanette il salue toujours de grands aboiements joyeux. Il n'a pas oublié. Dans l'escalier sonore, sa voix puissante retentit comme un roulement de tonnerre. Immédiatement, la gardienne apparaît. Devant le balai qu'elle brandit, brosse en l'air, Kafi aboie de plus belle. Épouvantée, la gardienne rentre précipitamment dans sa loge en faisant claquer la porte. Malgré moi, j'éclate de rire. C'est ma petite et innocente vengeance... que je dois d'ailleurs un peu me reprocher quelques heures plus tard.

Côte à côte, mon chien et moi, nous descendons la rue de la Petite-Lune qui, ce matin-là, me paraît belle, presque propre et

coquette. Je parle à Kafi comme on parle à un véritable ami, lui expliquant :

— Là, tu vois, c'est notre épicerie... ici, la crèmerie où j'ai acheté le lait que tu as bu tout à l'heure... plus loin, la boucherie.

Il hoche la tête comme s'il approuvait.

Mais, en arrivant en bas de la rue des Hautes-Buttes, mon cœur se serre. Je suis heureux... et Mady, elle, va partir, toute triste.

Quand je frappe à sa porte, moi qui m'étais imaginé avec tant de joie le jour où, enfin, je lui amènerais mon chien, je me sens embarrassé. Pourtant, c'est par une explosion de joie qu'elle nous accueille.

— Oh ! Tidou... j'ai eu si peur, hier soir ! Quand j'ai vu que vous ne reveniez pas, j'ai cru qu'il vous était arrivé quelque chose... que vous ne l'aviez pas retrouvé... qu'il était mort. C'était affreux.

Je suis resté à l'entrée de sa chambre. Intimidé devant cette fille étendue sur une chaise longue, devant la fenêtre, Kafi n'ose pas s'avancer.

— Allez, Kafi ! dis bonjour à Mady !

Mon chien me regarde, puis regarde la jeune malade, sans bouger d'une patte, mais dès qu'elle prononce son nom, il s'élance. Surprise, Mady a un petit mouvement de

frayeur que Kafi comprend aussitôt. Alors, il s'arrête, s'approche plus doucement. Elle étend sa main qu'il lèche. Et voilà ! Mady et Kafi, eux aussi, sont amis.

— Oh ! fait la malade, en continuant de caresser mon chien, je suis si heureuse pour toi, Tidou !

Je souris, mais, je le sens bien, d'un sourire pas tout à fait naturel, pas tout à fait heureux. Je prends la main de Mady, la garde longtemps dans la mienne, sans rien dire.

— Qu'est-ce que tu as ? demande-t-elle.

Elle m'oblige à la regarder dans les yeux.

— C'est à cause de moi ?... Parce que je vais partir ?

— Je voudrais que tu ne retournes pas là-bas, Mady, tu y seras encore trop malheureuse.

— Tu m'écriras souvent, Tidou, et les autres « Gros-Caillou » aussi. De loin, vous m'aiderez à trouver le temps moins long. Tu n'aimes pas écrire ?

— Si, Mady, je t'écrirai souvent, très souvent.

Tout en parlant, elle ne cesse de passer ses doigts dans la fourrure de Kafi qui, séduit par sa voix douce, ne bouge pas. Soudain, au bord de la paupière de Mady, une larme perle qu'elle essaie de cacher en tournant la tête.

— D'abord, fait-elle vivement en se forçant à sourire, je ne suis pas encore partie, demain, seulement... Et, cet après-midi, vous viendrez tous fêter le retour de Kafi ; le gâteau de maman vous attend toujours... D'accord ? À quatre heures, vous serez tous là... Si tu allais dès maintenant prévenir tes amis, pour qu'il ne manque personne ?

Elle a trop de peine ; elle préfère être seule pour pleurer ; cela me fait mal.

Malgré toute ma joie d'avoir retrouvé Kafi, quand je quitte la rue des Hautes-Buttes, je ne réussis pas à chasser le gros nuage noir qui gâche mon bonheur. Mady va partir, nous ne pouvons rien pour elle, je ne pense qu'à cela.

À la caverne de la Rampe des Pirates, toute la bande m'attend. Plusieurs « Gros-Caillou » ont acheté le journal qui annonce en gros titre :

UN CHIEN ET UNE BANDE D'ENFANTS DE LA CROIX-ROUSSE FONT ARRÊTER DE DANGEREUX CAMBRIOLEURS...

Pourtant, aucun de nous ne songe à se vanter de cet exploit. La veille, dans l'obscurité, mes camarades ont à peine eu le temps de voir Kafi. Ils ont hâte de faire vraiment

sa connaissance. Ils le trouvent encore plus beau, plus intelligent que je ne l'ai décrit. Tous se sont débrouillés pour le gâter, lui apportant toutes sortes de choses, de quoi lui donner une magistrale indigestion !

— Dommage que Mady nous quitte ! soupire le Tondu. On aurait attelé Kafi au « carrosse » ; il l'aurait promenée partout.

Quand j'explique que je viens de chez elle où je l'ai trouvée très triste, ils sont consternés. Seul Gnafron n'est pas là ; on décide d'aller le prévenir pour qu'il ne manque pas le rendez-vous. Il habite près du Toit aux Canuts. Pour se rendre chez lui, nous devons repasser par la rue de la Petite-Lune. Juste quand nous arrivons devant chez moi, un policier lève le nez vers le numéro de l'immeuble.

— Il te cherche peut-être, fait Corget, puisque, hier soir, tu as laissé ton adresse au commissariat.

En effet, l'agent frappe chez la gardienne et j'entends prononcer mon nom. Je m'approche.

— Justement, fait la gardienne, en me montrant, le voici !

L'agent me tend une lettre et remonte sur son vélo.

Je suis tellement nerveux que l'enveloppe tremble entre mes mains. Il me semble, tout à coup, que c'est à cause de Kafi, qu'on va me le reprendre, je ne sais pourquoi.

En réalité, c'est une convocation. Je dois me rendre au commissariat pour une affaire urgente ! Qu'est-il encore arrivé ?

— Ne t'inquiète pas, fait Corget, si les policiers ne s'occupent pas de retrouver les chiens, ils ne s'occupent pas non plus de les reprendre.

Toute la bande décide de m'accompagner. Cette fois, en nous voyant entrer, les agents ne nous regardent plus d'un mauvais œil.

— Voilà nos détectives de la Croix-Rousse ! fait l'un d'eux en riant.

En pénétrant dans le bureau du commissaire, je me sens très impressionné. Mais le commissaire sourit, lui aussi.

— Ce matin, explique-t-il, nous avons convoqué la dame de la rue des Rouettes ; elle a reconnu une partie de ses bijoux, en particulier le petit coffret en or, auquel elle tenait beaucoup. Elle désirerait rencontrer celui d'entre vous qui lui a permis de les récupérer... C'est toi, je crois ?

Il me désigne.

— Non, monsieur le commissaire, pas moi seul, toute la bande.

— Eh bien, allez la voir ensemble, elle vous attend. Je ne sais ce qu'elle veut vous dire.

C'est tout. Nous nous retrouvons dans la rue.

— Peut-être qu'elle veut t'acheter Kafi, fait Corget, parce que c'est grâce à lui qu'elle a retrouvé ses bijoux.

Il dit cela en riant, mais qui sait ?

Et nous voici repartis vers la rue des Rouettes. Nous reconnaissons la maison. L'intérieur devait être luxueux autrefois. Un large escalier de pierre et une belle rampe en fer forgé grimpent jusqu'en haut. Nous nous arrêtons au troisième.

— Sonne, Tidou, fait le Tondu, puisque c'est toi qu'elle veut voir.

Une vieille dame aux cheveux blancs vient ouvrir. Apercevant toute cette bande sur le palier, elle recule avec un petit mouvement de frayeur, mais aussitôt elle aperçoit Kafi, que je retiens, et comprend.

— Je n'en attendais qu'un, fait-elle en souriant. Mais vous avez bien fait de venir tous.

Elle nous invite à entrer. Embarrassé à cause de son béret qu'il n'ose pas enlever, le Tondu se cache de son mieux, en arrière. Jamais je n'ai vu un aussi bel appartement, partout des tapis, des tapis si épais que nous

osons à peine les fouler. Kafi lève ses pattes, très haut, à cause des brins de laine qui le chatouillent. La vieille dame s'efforce de nous mettre à l'aise. Elle connaît l'extraordinaire aventure de Kafi, on la lui a racontée au commissariat et elle vient de la lire dans les journaux.

— Alors, fait-elle en caressant Kafi, c'est grâce à ce brave chien et à vous tous que j'ai retrouvé mes bijoux, en particulier ce coffret. Il a une grande valeur, c'est vrai, mais j'y tenais surtout parce que c'est un souvenir de famille. Je m'étais promis de récompenser celui qui me le retrouverait.

Elle se dirige vers un petit bureau, ouvre un tiroir et se retourne vers nous.

— Voilà !

Elle me tend dix billets, dix gros billets tout neufs, mais ma main refuse de les prendre. Tous ensemble, nous protestons.

— Oh ! non, madame, on ne peut pas !... Si on avait su...

— Ne refusez pas, je veux absolument tenir ma promesse. Je suis sûre que cet argent vous servira, vous ou vos parents.

Nous protestons encore. Une telle somme, presque une fortune ! C'est inacceptable, mais elle insiste en souriant doucement.

— Cela me rendrait heureuse !...

Alors elle glisse les billets dans ma poche, donne une friandise à Kafi et nous reconduit à la porte en nous remerciant encore.

Nous sommes si abasourdis, en descendant l'escalier, que nous n'échangeons pas un seul mot et que Kafi, inquiet de ce silence, lève les yeux vers moi pour m'en demander la raison. Quand nous débouchons sur le quai Saint-Vincent, aucun d'entre nous n'a encore ouvert la bouche.

— Elle a été très sympa, cette vieille dame, soupire enfin Gnafron. Qu'est-ce qu'on va faire de tant d'argent? Retrouver Kafi nous suffit largement…

Tout le monde approuve. Cette véritable fortune qui nous tombe du ciel nous embarrasse. J'ose à peine sortir les billets de ma poche pour les regarder.

— C'est drôle ! fait Bistèque. On vient de recevoir de l'argent, beaucoup d'argent, on devrait danser de joie et on fait presque des têtes d'enterrement...

C'est vrai ! Bistèque a raison, cet argent nous gêne. Qu'allons-nous en faire ? Bien sûr, je sais que, secrètement, tous les autres pensent comme moi : nous achèterons à Mady des livres, de petites choses qui lui

feront plaisir et adouciront ses longues heures de solitude ; mais quoi de plus ? Si au moins cet argent pouvait servir à la guérir !

Mais, brusquement, une idée traverse mon esprit, une idée extraordinaire, merveilleuse... si merveilleuse que je m'arrête net, dans la montée, le souffle coupé. Mes amis me regardent.

— Quoi, Tidou ?

— Écoutez ! Tout d'un coup, je viens...

Les « Gros-Caillou » m'entourent, presque inquiets de me voir pâlir.

— On ne sait pas quoi faire de tout cet argent... j'ai trouvé. Il va nous servir à empêcher Mady de repartir là-bas. Notre ancienne maison de Reillanette n'est peut-être pas encore occupée. Puisque c'est de soleil que Mady a besoin pour guérir, on pourrait louer cette maison pour elle et sa mère. Je suis sûr qu'elle ne s'ennuierait pas. Elle y passerait tout l'été ; et elle ne manquerait pas de soleil. Même si elle a besoin de voir le médecin, Avignon est tout près. Qu'est-ce que vous en pensez ?...

Aussitôt, tous les « Gros-Caillou » se précipitent vers moi, les mains tendues.

— Bonne idée, Tidou. On va sauver Mady, on lui doit bien ça !...

chapitre 18

Du soleil pour Mady

Mais ce projet est-il trop beau ? Mady doit partir demain, il est peut-être trop tard pour le réaliser…

Sans attendre, j'entraîne la bande chez moi, en prévenant mes amis :

— Attention, pas de bruit, il ne faut pas que la gardienne aperçoive Kafi.

Pas de chance, elle est en bas de l'escalier, avec son balai ; mais à notre plus grand étonnement, elle n'a plus son air irrité des autres jours, je crois même qu'elle sourit, mais oui, elle sourit et, apercevant mon chien, elle demande :

— Il n'est pas méchant, au moins ?

Elle va même jusqu'à le caresser du bout de ses gros doigts. Nous n'en revenons pas.

Pourtant, tout s'explique. Entre-temps elle a lu le journal. Notre exploit – et celui de Kafi – est un peu devenu le sien.

Nous arrivons là-haut. Mon père vient juste de rentrer. Il commence par froncer les sourcils devant cette invasion. La voix hachée par l'émotion, j'explique ce qui vient d'arriver et je sors les billets de ma poche.

— Tout ça pour nous, papa... mais, évidemment, on ne veut pas les garder.

Et, très vite, je raconte ce que, tous ensemble, nous venons de décider.

— Oh ! s'écrie maman, quelle merveilleuse idée ! Bien sûr, nous allons nous en occuper, écrire à Reillanette.

— Mais, remarque mon père... il faudrait d'abord demander l'avis des parents de cette jeune fille, non ?

— M'sieur, déclare Gnafron, on est sûrs qu'ils accepteront... mais il faut faire vite. Mady doit partir demain.

Nous regardons mon père qui, le front plissé, réfléchit. Habitué à prendre des décisions rapides, il ne tarde pas à répondre.

— Vous avez raison, faisons vite. Je vais téléphoner au propriétaire de notre ancienne maison pour savoir si elle est encore libre...

Puis j'appellerai les parents de votre amie et leur expliquerai l'affaire.

Tous les « Gros-Caillou » décident d'attendre la réponse. Quelle invasion dans notre si petit appartement ! Le temps passe, nous commençons à nous inquiéter. Enfin mon père reparaît de nouveau.

— Alors, papa ?

— Comme je le craignais, les parents de Mady ont vigoureusement protesté : ils ne veulent pas prendre un centime de cet argent qui n'est pas à eux. J'ai insisté, expliqué que vous aimeriez mieux jeter ces billets dans le Rhône plutôt que de les garder pour vous... Bref, ils ont fini par accepter.

— Et la maison ?

— C'est réglé. D'ailleurs, j'ai bien fait de téléphoner. Le propriétaire avait reçu, hier, une demande de location, de la part d'une famille de Parisiens, pour les vacances. Bien sûr, il vous la garde.

— Et Mady, qu'est-ce qu'elle a dit ?

— Rien... pour la bonne raison qu'elle ne sait encore rien. Nous avons décidé, ses parents et moi, que vous lui annonceriez vous-mêmes la bonne nouvelle, tout à l'heure.

Fou de joie, j'embrasse mon père, et la bande des « Gros-Caillou », à son tour, se jette à son

cou. Mady a sauvé Kafi et, maintenant, nous allons sauver notre amie. C'est merveilleux !

Mais il est tard, midi a sonné depuis longtemps.

— Allez, vite ! fait maman, comme une mère poule qui écarterait ses trop nombreux poussins. Rentrez chez vous déjeuner, sinon, tout à l'heure, vous ferez attendre Mady.

La bande dégringole l'escalier, mais sans bruit, sur la pointe des pieds, pour ne pas déranger la gardienne devenue si tolérante. Je reste seul avec mes parents et mon petit frère... et Kafi, bien entendu. À table, je ne reconnais plus mon père. Il est aussi heureux que moi... et Kafi le sent bien, qui vient se frotter contre ses jambes en poussant de petits grognements de plaisir.

Pour moi, c'est le jour le plus magnifique depuis le matin humide de notre arrivée à Lyon. L'émotion me serre la gorge. J'ai oublié que j'avais faim. Je n'arrête pas de regarder l'heure. Dire que Mady ignore encore tout, qu'elle pleure peut-être, en ce moment, pensant à son départ.

La dernière bouchée avalée, je me lève pour me changer, comme le jour où nous avons inauguré le fameux « carrosse », et j'emmène mon chien.

— Silence, Kafi, n'aboie pas dans l'escalier. Maintenant tu dois, toi aussi, te conduire comme un bon locataire.

Kafi a compris. Silencieux comme un chat, il glisse le long des marches sur ses pattes de velours. Nous arrivons en courant à la caverne. Il n'est pas encore deux heures mais presque tous les « Gros-Caillou » sont là, en tenue, eux aussi, presque méconnaissables, tant ils se sont faits beaux. Le petit Gnafron a dû renverser le flacon de parfum de sa mère sur sa tête, il embaume l'eau de Cologne à quinze mètres ! Quant au Tondu, pour qui porter un chapeau est d'une importance capitale, il a emprunté la casquette de son père qui lui tombe jusqu'aux oreilles.

Mady avait dit : à quatre heures. Tant pis ! nous ne pouvons plus tenir. Et nous voilà partis, Kafi en tête. Nous arrivons rue des Hautes-Buttes. La mère de Mady nous a entendus monter, elle nous attend sur le palier.

— Oh ! déjà là !...

Mais je sens bien que ce « déjà » n'est pas un reproche, et qu'il signifie plutôt « enfin ».

— Comment vous remercier ?... C'est trop beau. Approchez, que je vous embrasse tous... Excusez mon mari, il a déjà dû repartir au

travail. Si vous saviez comme il est heureux lui aussi...

Bouleversée, elle s'essuie les yeux.

— Je n'ai encore rien dit à Mady... Entrez ! Au moment où la porte s'ouvre, ce ne sont pas dix cœurs qui battent dans nos poitrines, mais dix marteaux qui frappent, tellement nous sommes émus. Surprise, Mady s'écrie :

— C'est gentil d'être en avance ! Maman n'a pas eu le temps de préparer la table... Mais qu'est-ce que vous avez ?... Pourquoi vous êtes restés si longtemps sur le palier avant d'entrer ?...

C'est vrai, nous ne savons pas cacher notre émotion. Nous nous regardons tous, embarrassés. Je sens une main me pousser en avant.

— Parle, Tidou, puisque c'est toi, le premier, qui as eu l'idée.

Alors je m'approche de Mady et, très vite, pour cacher mon émotion, je lui explique ce qui nous est arrivé et ce que nous avons décidé tous ensemble, en accord avec ses parents. Cela lui paraît si extraordinaire qu'elle jette un regard vers sa mère, comme pour lui demander confirmation.

— Oui, Mady, tout est arrangé, la maison de Reillanette nous attend.

La jeune malade rougit, puis pâlit ; deux larmes silencieuses roulent sur sa joue. Enfin elle explose de joie :

— Oh ! je vais partir à Reillanette, avec maman ; je ne serai pas seule ; je verrai des arbres, des champs et j'aurai beaucoup de soleil !...

Elle voudrait saisir toutes nos mains à la fois. Elle rit, elle pleure, elle ne sait plus ce qu'elle dit.

— C'est trop beau !... Maintenant, je suis sûre de guérir vite, très vite... grâce à vous tous.

— Non, Mady, ne nous remercie pas ; sans toi on n'aurait sans doute jamais retrouvé Kafi... ni les voleurs.

L'instant d'intense émotion passé, la mère de Mady s'empresse de préparer la table. Elle apporte le fameux gâteau. La chaise longue de Mady est avancée et la jeune malade calée, un coussin dans le dos. Les « Gros-Caillou » s'installent comme ils peuvent, sur des chaises, sur des tabourets, et même sur un vieux fauteuil pliant.

— C'est merveilleux, ne cesse de répéter Mady, on allait m'emmener dans un hôpital… et tout d'un coup, j'ai l'impression de partir en vacances ! Vous viendrez me voir,

tous, dans deux mois, quand les cours seront finis... et vous m'amènerez Kafi, d'accord, Tidou ?...

Elle serre contre elle mon chien qui la regarde avec des yeux attendris comme s'il comprenait qu'il est question de Reillanette.

Mais soudain Kafi tend l'oreille, pousse un petit grognement, en regardant du côté de la porte. Des pas résonnent dans l'escalier. Qui peut donc venir troubler notre joie ? La mère de Mady va ouvrir et recule à la vue de trois hommes armés de gros appareils photo.

— Des journalistes ! s'écrie Gnafron. Laissez-nous tranquilles, nous ne sommes pas des bêtes curieuses...

Les reporters insistent. Ils sont d'abord allés au commissariat, puis dans la rue de la Petite-Lune, d'où la mère de Tidou les a envoyés ici.

— Juste un instant ! Quelques petites questions et le temps de prendre une photo.

Nous nous laissons faire. Les journalistes nous entassent avec Kafi, au fond de la pièce. Nous protestons.

— Ah ! non, pas de photos sans Mady !... c'est elle qui a retrouvé Kafi.

Les reporters doivent changer leurs dispositions et nous nous regroupons autour de la

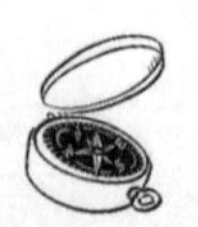

chaise longue de Mady qui tient dans ses bras mon cher Kafi un peu inquiet. Moi, je m'arrange pour être le plus près d'eux possible.

— Attention !...

Un flash ! un deuxième ! un troisième !... Affolé, Kafi aboie furieusement. Décidément, lui non plus n'aime pas la publicité...

C'est fini. La photo, nous expliquent les reporters, paraîtra en première page dans le journal du soir. Pour moi, elle sera un magnifique souvenir. Je l'encadrerai dans ma chambre. J'y retrouverai les visages de mes copains de la Croix-Rousse, celui souriant de Mady, la bonne tête de mon chien, tous ceux grâce à qui cette grande ville, au début si hostile, ne sera pour moi plus jamais grise...

Quel nouveau mystère les Six Compagnons devront-ils résoudre ?

Pour le savoir, regarde vite la page suivante !

● ● ● ● ● ● ● ● ● ● ● ● ● ● ● ●

Tidou, Kafi et les autres sont prêts à mener l'enquête

Dans le prochain tome des Six Compagnons :

Alerte au sabotage !

Cet été, Tidou et ses amis campent dans un bois proche de la centrale nucléaire de Marcoule. Bientôt, ils découvrent que des inconnus rôdent dans le secteur et semblent espionner l'usine. Bien plus grave : Kafi est blessé par balle en pleine nuit ! La tension monte chez les Compagnons...

Pour connaître la date de parution de ce tome, inscris-toi vite à la newsletter du site : www.bibliotheque-rose.com

Les as-tu tous lus ?

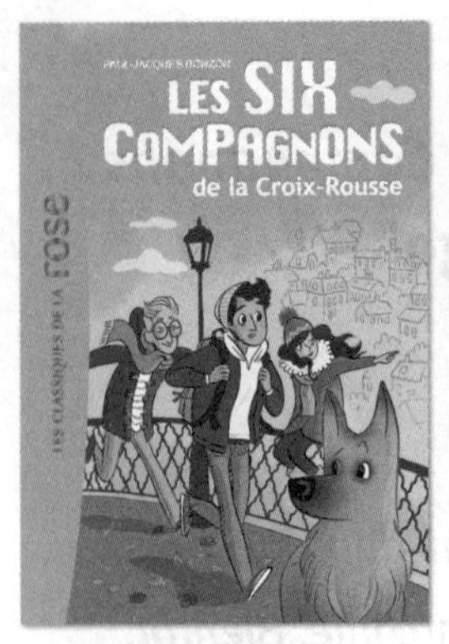

Les Six Compagnons de la Croix-Rousse

Alerte au sabotage !

Les Six Compagnons et l'étrange trafic

Les Six Compagnons au bord du gouffre

Les Six Compagnons enquêtent en coulisses

Les Six Compagnons jouent une dangereuse partition

Table

hachette s'engage pour l'environnement en réduisant l'empreinte carbone de ses livres. Celle de cet exemplaire est de :
700 g éq. CO_2
Rendez-vous sur
www.hachette-durable.fr

Photogravure Nord Compo - Villeneuve d'Ascq

Imprimé en Roumanie par G. Canale & C. S.A.
Dépôt légal : mars 2014
Achevé d'imprimer : novembre 2017
20.4478.2/07 – ISBN 978-2-01-204478-4
Loi n° 49956 du 16 juillet 1949
sur les publications destinées à la jeunesse